LA DAME EN COULEURS

"A Nardo, à la fois tendre
et Rebelle comme la vie et aussi,
au cœur empli de choses secrètes,
que je lui souhaite d'aller sur
des Roulettes.

xxx

Louise Dufort

Couverture:
   Illustration tirée de *la Dame en couleurs* un film de Claude Jutra
   De gauche à droite: Ariane Frédérique (Gisèle), Mario Spénard (Régis), Lisette Dufour (Françoise), Grégory Lussier (Denis), Charlotte Laurier (Agnès), Jean-François Lesage (Ti-Loup), François Méthé (Sébastien), Guillaume Lemay Thivierge (Ti-Cul)

Photo: Takashi Seida
La Dame en couleurs est un tableau de Louis Bernatchez

Conception graphique: Élisabeth Côté pour Publifilms
                          Katherine Sapon pour les Éditions Domino

LES ÉDITIONS DOMINO LTÉE
(Division de Sogides Ltée)
955, rue Amherst, Montréal
H2L 3K4
tél. : (514) 523-1182

Distributeur exclusif pour le Canada :
AGENCE DE DISTRIBUTION POPULAIRE INC.
(Filiale de Sogides Ltée)
955, rue Amherst, Montréal
H2L 3K4
tél. : (514) 523-1182

Copyright 1985, les Éditions Domino Ltée
Dépôt légal, 1er trimestre 1985
Bibliothèque nationale du Québec

ISBN 2-89029-053-0

LOUISE RINFRET

LA DAME EN COULEURS

d'après un scénario de
Louise RINFRET et Claude JUTRA

roman

Domino

Le film *la Dame en couleurs* a été réalisé par Claude Jutra, d'après un scénario de Claude Jutra et Louise Rinfret, suggéré par une idée originale de Louise Rinfret.

À
Sylvie Dauphin
André Cousineau
Danyèle Patenaude
Robert Golfman
Raymond Plante
et Claude Jutra, ferré sur le rire et la pensée.

Je conserverai toujours nos confidences. Pour le reste, je promets de le dire à qui le méritera. Et surtout, merci pour tout.

Quand le tigre s'accroupit,
ne dis pas qu'il te salue.
                    Dicton chinois

Mai 1940

Prologue

Comme à tous les printemps, les aubiers étalaient leur frondaison à contre-vent. Apostées minutieusement tels des gardiens, leurs silhouettes contournaient une forteresse grisâtre et surplombaient des jardins impeccables. Un peu plus loin, un tapis vert butait contre une forêt embroussaillée, resserrée par une palissade forte et austère. Une petite ville cernée, au milieu de rien du tout, abritait des milliers de patients retenus là indéfiniment pour incohérence et des centaines d'employés régis par un effectif religieux muni d'une volonté à toute épreuve. Quiconque faisait mine de déroger au roulement efficace de l'organisation s'y heurtait.

Une camionnette aux formes arrondies, aux couleurs ternes d'un temps de guerre freine aux abords du portail. Après les vérifications usuelles, un préposé armé actionne la lourde grille. Le véhicule pénètre en pétaradant à l'intérieur de l'enceinte et enfile l'allée centrale, bordée de peupliers au garde-à-vous. Dans la boîte arrière, les enfants au visage chiffonné et au regard incertain se redressent en silence vers l'édifice imposant qui s'avance à leur rencontre.

Juchée sur le perron principal, une religieuse en attente, aux traits découpés et nerveux, entrevoit enfin les petites têtes vers lesquelles elle s'empresse avec un sourire de bienvenue. En moins de deux, soeur Joseph-Albert fait évacuer la camionnette et dirige la marmaille vers l'intérieur de la bâtisse.

1

Jeu de cachette

Au couvent, comme on l'appelait, il y avait des religieuses, des préposés, des gardiens et des pensionnaires de tous âges. Au moins tous les trois mois, un groupe d'enfants y débarquait, afin de libérer les orphelinats surchargés. Mais on venait à l'hôpital surtout pour aider. Des besognes, il y en avait de tous les genres: la buanderie immense sentait fort mais bon, et, à cause des gros ballots de draps ou de linge à transporter, était destinée aux plus robustes. À la cuisine, c'était différent. Peut-être que pour laver la vaisselle, il fallait tout simplement ne pas désespérer devant les piles d'assiettes qui atteignaient trois pieds de haut et accepter qu'elles se reproduisent comme des petits lapins. Quant aux carottes, aux patates et surtout aux navets pas épluchables, il fallait en plus les rincer jusqu'à ce qu'il n'y ait plus une petite grenaille puis, une fois cuits, piler le tout sans laisser le moindre grumeau.

Soeur Joseph-Albert disait que c'était excellent pour réfléchir à ses bêtises. Elle ne devait pas voir les siennes, puisqu'elle se contentait d'aller les raconter à la confesse au curé Ménard. Le nettoyage des planchers était forçant et ils redevenaient sales en deux temps mais c'était quand même divertissant, vu le voyagement dans toutes sortes de départements, avec du nouveau monde avec qui jaser.

À l'occasion, parmi les arrivants, on entendait des gazouillis de bébés. C'était toujours un événement, et quelle récompense d'avoir accès à la pouponnière qui s'étendait dans deux immenses dortoirs communicants. Certains jours, surtout avant l'orage, tous les bébés pleuraient en même temps. Alors là, on en choisissait un, parfois deux pour les bercer. Cet ouvrage-là était le plus recherché du couvent.

Pour un nouveau venu, ça donnait sûrement l'impression d'un grand fouillis. Mais tout le monde avait sa place, et en plus, beaucoup de liberté, étant donné que les soeurs ne pouvaient pas surveiller chacune des personnes à toute heure du jour. Les locaux — certains disaient qu'il y en avait plus de cinq cents — étaient reliés chacun à une chambre-bureau et s'enfilaient de chaque côté des corridors, quelquefois aussi larges que des avenues. Pour les loisirs des plus jeunes, on avait réservé certains endroits... sans oublier quelques religieuses qui avaient l'oeil à tout.

La plus aimée, une novice, montrait une allure frêle, des épaules effacées, des mains longues et gracieuses. Dans les pires circonstances, soeur Julienne restait douce. Mais il lui arrivait de devenir vulnérable. Dans ces moments-là, son regard s'exilait vers le coeur d'un amoureux qu'elle aurait eu jadis. C'est en tout cas ce qu'on racontait en toute confidence, choisissant bien à qui et quand faire le récit de cette histoire amoureuse qui, à chaque fois, se voyait renforcée d'un nouveau chapitre tragique et sans retour.

On est au mois de mai. Soeur Julienne, avec son calme habituel, circule dans une grande salle, au travers des cris et des rires. Deux chamailleurs s'approchent à grande vitesse, l'encerclent dans leur course et freinent dans ses jupes tandis qu'elle tangue sur place, étourdie par les exclamations. Au lieu de s'étaler de tout son long, elle reprend appui tant bien que mal sur les deux bagarreurs, les saisissant fermement au passage. Se sentant agrafés, ils lèvent sur elle un oeil angélique, glissent leurs mains dans les siennes et le trio reprend paisiblement sa tournée au travers du tumulte.

L'ascenseur s'est immobilisé dans un grincement pour libérer le nouvel arrivage. Soeur Joseph-Albert est en tête, un sac de linge à la main et un petit garçon ensommeillé dans les bras. Non seulement elle affiche sans répit un maintien et un regard autoritaires, mais en plus elle soupire ostensiblement à la vue de soeur Julienne qui accourt vers elle: "Regardez-moi donc la nouvelle fournée qu'on m'amène, sans même me prévenir!"

Soeur Julienne regarde à la ronde, préoccupée: "Mais ma soeur... où est-ce qu'on va les mettre?

— Ah! ça, nos orphelinats sont pleins à craquer. Mais il reste toujours un petit peu de place quelque part..."

Son visage s'illumine d'un petit sourire: "Quelque part: c'est ici!"

Laissant leur bagage en plan, certains arrivants se frayent une place parmi les joueurs tandis que d'autres inspectent les lieux timidement, aussitôt accostés par les habitués, curieux de savoir d'où ils viennent.

Ça faisait deux jours qu'Agnès attendait les nouveaux, espérant bien revoir son amie Denise qu'elle avait connue avant d'arriver ici. Agnès disait que, là-bas, elles étaient toujours ensemble, sauf pendant les disputes; et elle racontait dans le détail, en riant, la niaiserie qui avait provoqué chaque querelle. Puis ses yeux, si gais dans ces moments-là, semblaient redevenir tristes, peut-être parce qu'ils étaient très grands et très profonds. Depuis ses quinze ans, Agnès avait beaucoup changé. Les lignes de son visage s'étaient précisées et, peu à peu, sa démarche s'était transformée. Certains garçons la trouvaient bien à leur goût, mais son préféré restait Denis, un grand qui travaillait au nettoyage.

Agnès s'arrête pour se pencher sur un petit enfant: "T'es donc bien beau! Comment tu t'appelles?"

Gêné, il répond dans un murmure: "Mario."

Soeur Joseph-Albert rappelle les nouveaux à l'ordre pour les emmener au dortoir. Agnès marche à côté de Mario et lui manifeste beaucoup d'intérêt. Comme il lui semble plus en confiance, elle s'engage dans les questions d'usage: "Mario qui?

— Mario, c'est tout.

— As-tu une mère?

— J'en avais une, mais ça fait longtemps.

— Ah! oui, ça fait que t'as pas de père non plus?"

En guise de réponse, Mario continue à marcher en silence, replié sur lui-même. Au bout d'un moment, c'est lui qui reprend la conversation: "C'est où, ici?

— Ben..., c'est ici.

— Qu'est-ce qu'on mange?

— C'est bon... Elle fait la grimace. Excepté le poisson, le vendredi."

Dans une salle adjacente, Agnès entrevoit l'éternel chandail jaune de Régis. Autour de lui, c'est la cohue. Face au mur, la tête camouflée dans ses bras, il compte minutieusement, à voix forte, tandis que les joueurs se dispersent pour trouver une cachette.

Agnès pivote vers Mario: "Excuse...", puis se précipite vers Régis: "C'est moi, Agnès... Moi aussi, j'me cache."

Elle s'élance en zigzaguant, dépasse les autres coureurs, puis s'engage dans un couloir secondaire. Elle croise deux religieuses infirmières qui escortent d'un pas alerte un groupe d'adultes en jaquette blanche. Dans leur regard sommeille l'égarement, sinon la peur de tout ce qui les entoure. Soudain, l'un d'eux s'échappe pour poursuivre Agnès. À toute force, il s'accroche à elle, bien décidé à ne pas lâcher prise. Virevoltant avec adresse, elle réussit à se dégager: "J'suis occupée, là! Il faut que j'aille me cacher." Elle repart de plus belle et oblique vers la porte double qui donne sur un autre couloir.

"Attends!... Attends-moi!..." Le patient cherche de nouveau à l'atteindre, mais il s'arrête sec au bout de l'allée, frappé en pleine figure par deux portes battantes.

Essoufflée, Agnès ralentit sa course pour entrer dans un bureau désert. Elle en parcourt les recoins, choisit de se cacher derrière la porte, change d'idée, entre dans une garde-robe, en ressort aussitôt, puis s'immobilise au centre de la pièce à l'affût d'une autre cachette.

Un jeune garçon entre en trombe et se jette sur elle, dissimulant sa gêne sous des gestes entreprenants: "On va faire comme y en a qui font, veux-tu? Je les ai vus. Envoye donc!"

Il tente de l'acculer dans un coin, mais Agnès le regarde bien en face: "Aimes-tu ça, le sang, toi?"

Surpris, le garçon relâche son étreinte: "Ben... je l'sais pas moi."

L'attrapant par les épaules, Agnès articule son avertissement: "J'suis menstruée... Sais-tu ce que c'est, ça?" Elle baisse le ton, comme pour un secret: "Dans mon linge, y a plein d'sang", puis elle le repousse nonchalamment: "Une autre fois, O.K.?" Elle quitte le bureau en claquant la porte et reprend son chemin en ricanant: "C'est même pas vrai. Ha! Ha!"

Le corridor débouchait sur une salle immense, habitée par une centaine de patients. Plusieurs avaient des difformités de corps ou de visage. Certains étaient hilares, d'autres tragiques. La plupart se berçaient. Plus souvent qu'autrement, les chaises oscillaient avec conviction, à des rythmes différents. De ces endroits-là émanait une atmosphère d'espoir latent, comme si tous et chacun, par-delà les attitudes impulsives, les regards brouillés, pressaient le temps vers une destination illusoire.

Agnès traverse le local, sans se préoccuper des grimaces que lui adresse une patiente. Un malade lui effleure le dos au passage: "T'as plein de beaux cheveux, plus doux que le velours de mes pantoufles." Agnès acquiesce d'un coup d'oeil. "Tu m'écoeures comme le yable qui fait des cauchemars", renchérit un autre. Son regard blessant se heurte à l'indifférence d'Agnès. Plus loin, la caresse d'une dame âgée recueille l'esquisse d'un sourire.

Une religieuse l'aperçoit et s'approche, le visage radieux: "Agnès ...,veux-tu bien me dire où tu étais passée?"

Agnès se tourne vers elle, l'oeil coquin: "J'vous cherchais, soeur Gertrude." Elle reçoit un sourire incrédule. Elle prend le bras de la religieuse et elles continuent à marcher en silence.

Soudain, enthousiaste: "Est-ce que j'ai de l'école aujourd'hui?

— J'ai pas le temps." Soeur Gertrude hausse les épaules en signe de regret.

"Demain, alors?" insiste Agnès.

La religieuse la regarde tendrement: "On verra", et s'éloigne vers ses obligations.

D'un air réprobateur, Agnès la laisse aller en marmonnant: "Vous faites mieux!"

La voix de soeur Gertrude était douce et posée, son visage apaisant. Elle portait la trentaine en beauté, avec un reflet de maturité et un brin de candeur qui tardait à s'estomper. On racontait qu'elle avait fait des études très poussées, ce qui lui avait permis par la suite de réviser toutes les dépenses du couvent. Elle devait avoir bien des soucis à calculer pour les neuf mille pensionnaires et responsables, mais elle n'en parlait jamais.

Régulièrement, Agnès lui rendait visite. Et là, elle apprenait dans les livres les nombres, la création du monde et l'écriture. À cause de ça, elle était très sollicitée par les autres pour expliquer les revues. Et quelquefois, pour se donner de l'importance, elle se faisait prier et il fallait prendre rendez-vous. Dans ces moments-là, Agnès devenait presque solennelle et s'exécutait d'une voix grave pour expliquer que les mots veulent dire beaucoup d'affaires différentes "et que ça dépend de ce que la personne pensait quand elle les a écrits". Et puis, elle parlait discrètement de tout cela avec soeur Gertrude, se trouvant bien chanceuse d'avoir quelqu'un qui lui montrait toutes ces choses-là.

La cellule de soeur Gertrude faisait penser à une petite bibliothèque. Elle avait aménagé son espace en raison de la multitude de livres et de cahiers qu'elle possédait. Ceux-ci avaient envahi les étagères et les tablettes fixées au moindre bout de mur disponible. Sur son secrétaire s'entassaient une pile de registres, de carnets et une machine à écrire. Même son lit était recouvert de papiers épars à régler quotidiennement. Par contre, sa table de chevet ne servait d'appui qu'à une plante dont l'unique fleur jaune apparaissait une fois l'an, à l'automne.

Un rayon de soleil se glisse à travers les barreaux de la fenêtre. Agnès s'est installée sagement au pupitre avec une plume et du papier. Soeur Gertrude est debout à ses côtés: "Alors,... vous avez lu le conte de Perrault?

21

— Ah! que c'était beau! Surtout quand elle était morte. C'est-à-dire, qu'elle était pas exactement morte,... endormie, plutôt. Et puis, au bout de CENT ANS, le prince est arrivé et c'est lui qui l'a réveillée. Savez-vous comment?"

Comme la religieuse s'apprête à répondre, Agnès l'interrompt, émerveillée: "Il l'a embrassée... tout simplement! Personne d'autre y avait pensé! C'est-tu assez stupide pour vous, ça!?"

Agnès entraîne soeur Gertrude dans un grand rire. Au bout d'un moment la religieuse redevient sérieuse: "On continue?

— Ah! oui." Elle plonge sa plume dans l'encrier mais à l'instant où soeur Gertrude va reprendre la dictée...: "Vous allez m'en donner d'autres, des beaux livres comme ça?

— Si tu finis bien ta dictée.

— Oui, oui, oui..." Du coup, Agnès se penche studieusement sur sa feuille. La soeur dicte: "... Et Dieu protège ses enfants contre le mal. Point à la ligne. Mais il faut craindre Lucifer...

— Qui?

— Le Démon, Agnès. C'est son nom."

Agnès cesse d'écrire: "Le Démon, c'est lui, hein, qui fait que y a des malades qui ont pas leur tête et puis qui font des affaires croches?"

Le regard de soeur Gertrude s'anime.

"Je le savais! Ben, moi, je suis tannée du Démon, parce que si c'était pas de lui, y'aurait pas de fous, puis ça serait pas à nous autres à les torcher."

Perplexe, la religieuse s'absorbe un moment dans ses réflexions, puis: "Tu as raison. Mais le Démon est invisible et très méchant, et seul Dieu ou la prière peuvent l'éloigner.

— Oui, mais si Dieu le voit, lui, pourquoi y surveille pas le Démon pour pas qu'y en ait qui mettent le feu aux rideaux, ou qui se cognent exprès pour se faire mal, hein?

— Le Démon, Agnès, ça représente le mal. Comme le bien, le mal est partout. Omniprésent.

— Ça fait que le Démon, y est pas juste dans la tête des malades?

— Non, Agnès.

— Y est dans ma tête aussi?

— Oui, Agnès.

— Pis dans la vôtre?"

La pauvre soeur est prise au dépourvu: "Ça va être tout pour aujourd'hui, Agnès.

— Déjà!... pourquoi?

— Agnès, tu sais très bien que j'ai du travail. Tu insistes à chaque fois.

— À chaque fois, vous me renvoyez", réplique-t-elle sans broncher.

— "Allez, allez...

— Qu'est-ce que ça peut faire si je viens ici de temps en temps?"

Puis, profitant du malaise de soeur Gertrude: "Si moi, je vous aime, et que vous, vous m'aimez, pourquoi on peut pas se voir?"

Le regard de son amie se raffermit: "Je suis une religieuse, Agnès. Je crois en Dieu et dans la règle."

Agnès se lève. Calmement, elle se dirige vers la porte, la débarre, l'ouvre toute grande et lance froidement: "C'est votre affaire, ma soeur!"

Stupéfaite, soeur Gertrude regarde Agnès s'éloigner.

2

Les déboires de Ti-Cul

La place était bourdonnante d'activités. Les infirmières distribuaient pilules et potions tandis que les patients déambulaient ou se berçaient, sans jamais se lasser. Même durant la journée, les catatoniques restaient allongés le long des murs. La froideur de leurs lits de fer, plus d'une centaine, semblait refléter la maladie qu'on appelait algidité et qui obligeait certaines personnes à s'emmitoufler sous d'épaisses couvertures.

Une jeune patiente, d'environ vingt ans, est aux petits soins pour un autre pensionnaire. Françoise s'applique avec la minutie qu'il faut pour que son ouvrage soit fait à son goût, aussi bien que soeur Julienne elle-même l'aurait fait. Quand elle le peut, elle examine avec tendresse le garçon qui s'affaire mécaniquement à ses côtés. Ce qu'elle a toujours aimé chez

Ti-Loup, ce sont ses yeux de charbon, ses cheveux presque bleutés, qu'elle trouve fort jolis en contraste avec la blancheur de son teint, et surtout son sens de décision rapide, quand il le faut.

Ti-Loup avait fait partie de l'arrivage d'été, il y a deux ans. Françoise l'avait aussitôt remarqué, et depuis ne l'avait plus jamais perdu de vue. Elle le suivait discrètement, des heures et des heures, et se retrouvait, l'air de rien, sur son chemin sous prétexte de le dépanner ou de se faire aider ou encore simplement de converser à propos des activités de l'hôpital. En premier, il préférait la compagnie de ceux de son âge. Il élaborait avec eux, à longueur de journée, des plans plus ou moins recommandables. Une fois, ils réussirent même à emmurer la Joseph-Albert dans son propre bureau et à écraser un oeuf pourri dans la serrure.

Petit à petit, Françoise avait pu se rapprocher de Ti-Loup. Après bien des pénitences, même dans la cellule d'isolement, Ti-Loup, rendu à quatorze ans, était beaucoup plus tranquille. Françoise, elle, était là depuis ses dix ans. Il paraît que sa mère l'avait emmenée pour qu'on vienne à bout de son caractère difficile. Mais elle avait oublié de revenir la chercher. Au début, Françoise avait eu beaucoup de misère à s'acclimater à tant de monde et, six mois après son arrivée, elle était parvenue à se sauver pour retourner dans sa famille. Le jour même, ils l'avaient rentrée de force et elle ne les a plus jamais revus. Françoise disait souvent que, si sa mère ne revenait pas, c'est qu'elle n'avait pas d'argent pour la garder. Elle l'attendait tous les matins et sans cesse promettait dans ses prières d'être travaillante et bien à sa place. Et puis un jour, elle s'est mise à cracher à la face des personnes, autant de celles qui voulaient lui parler que de celles qui l'ignoraient. Ils l'ont mise tout de suite sur les pilules et les traitements pour qu'elle retrouve son calme. Mais aussitôt l'effet passé, elle recommençait encore pire, jusqu'à ce qu'elle s'intéresse à Ti-Loup. Elle prenait toujours ses médicaments mais plus par habitude, par sécurité.

Tous deux sont à changer les draps d'un monsieur alité qui n'a aucune intention de bouger. Pour eux, c'est un problème quotidien, dont ils ont la solution. Ils savent comment retirer le drap de sous le patient, puis le remplacer par un drap propre. Mais Ti-Loup semble embêté: "Soeur Hélène a dit qu'elle avait reçu du linge pour nous autres, mais je la crois pas."

Tout près, un enfant tient la balle de laine d'une pensionnaire concentrée sur son tricot. En entendant parler de vêtements à venir, qu'un peu de rafistolage suffira à rendre beaux comme neufs, il flanque la balle par terre et se précipite vers Ti-Loup et Françoise. "C'est des culottes qu'il me faut, moi. Est-ce qu'elle t'a dit qu'elle en avait pour moi?"

Malgré ses sept ans, le surnommé Ti-Cul avait, à ses heures, une petite figure de bandit qui énervait tout le monde, mais tout le monde l'adorait. Le couvent, il le possédait comme le fond de sa poche puisqu'il y habitait depuis toujours. À un an et demi, il avait fait une jaunisse et avait failli y rester. Soeur Sainte-Marie, qui s'était occupée de lui jour et nuit tout au long de sa maladie, disait qu'il avait "relevé d'un miracle", mais qu'après ça, son adrénaline avait pris le dessus sans jamais redescendre d'un poil. Ti-Cul adorait se promener, visiter tous les pensionnaires qu'il connaissait. Malgré l'interdiction de circuler sans permis, il rusait pour se rendre dans les départements les mieux gardés. À un certain moment, il était devenu très proche d'un monsieur qui était pourtant agressif et souvent dangereux avec les autres. En cachette, Ti-Cul lui énumérait les faits saillants de la semaine en les exagérant un peu pour égayer ou intriguer son ami. Un lundi qu'il était venu le voir comme d'habitude (c'était plus facile à cause du va-et-vient des lavages de planchers), Ti-Cul n'avait plus trouvé le patient et on lui avait expliqué qu'il était reparti à l'extérieur. Ti-Cul l'avait bien mal pris et avait pleuré des nuits entières. Et puis un soir, il avait appris que le monsieur était de retour et qu'il avait été transporté en ambulance. Le matin suivant, il s'était rendu au département d'urgence et avait vu que son ami était estropié. Il avait des coupures et il ne le reconnaissait même pas tant il était agité. En attendant que la maladie fasse son temps, Ti-Cul lui apportait des carrés de sucre qu'il avait reçus en cadeau d'une patiente.

Pour sa convalescence, on a transféré le malade dans l'aile arrière. Souvent, Ti-Cul a essayé de s'y rendre, mais c'est tout simplement impossible de s'y infiltrer à cause des serrures et des gardiens qui la séparent du reste du couvent. Mais ce qui le rassure, c'est que son ami est revenu et qu'on lui a dit que c'est pour de bon. De toute manière, il sait où le trouver et si on ne le change pas de local, il découvrira bien un moyen d'y pénétrer.

Pendant que Ti-Cul insiste pour obtenir ses culottes, une infirmière s'arrête à côté de Françoise et lui tend trois pilules et un verre d'eau qu'elle ingurgite d'un coup. Puis, elle ouvre machinalement la bouche toute grande et agite la langue pour montrer que les médicaments ont bien été avalés. Tout à côté, un patient attend, les mâchoires déployées. L'infirmière lui administre son dû, il agite la langue à son tour, puis s'éloigne, satisfait.

Préoccupé, Ti-Loup se redresse vers Françoise: "Ah! oui, faut que je parle à Agnès...

— Tu peux toujours essayer. Elle est pas parlable aujourd'hui. Ils l'ont remise aux patates.''

Ne ratant rien pour se faire remarquer, Ti-Cul leur tourne autour, gesticule, imite le crissement des roues d'un camion qui freine, pour arriver en trombe dans la tête de lit: "Des petites culottes courtes, elle en a-tu, hein?'' demande-t-il avec insistance.

Françoise fait mine de l'ignorer. Quant à Ti-Loup, il se blottit dans ses pensées: "Y a un homme qui m'a dit qu'il y avait une madame Lafresnière dans le journal. J'voudrais qu'Agnès me le lise. Tout à coup ce serait ma mère.

— Ah! oui,... ça se pourrait", dit Françoise, emballée par la nouvelle.

Mais Ti-Loup s'assombrit: "J'pense pas, ça se peut pas.

— Tu le sais pas... Est-ce qu'il y a des romans-photos dans son journal?

— T'as encore envie de te faire conter des histoires d'amour...?"

Rougissant, il baisse les yeux et se remet aux draps de monsieur Laramée. Françoise s'empourpre à son tour en riant pudiquement.

Maintenant accroché au pied du lit, Ti-Cul saute sur place: "Elle a-tu dit qu'elle avait un pyjama?"

Aiguisé, Ti-Loup quitte son ouvrage des yeux pour le fixer rudement, mais se ravise et se retourne vers son patient en poussant un cri d'horreur: "Ah! ben, monsieur Laramée, vous êtes pas raisonnable!

— Ben, monsieur Laramée le fait pas exprès, Ti-Loup, c'est sa maladie.

— ... Trois jours de suite?!" Il tient furieusement le drap du monsieur. Celui-ci est souillé de merde.

"Y'est pas malade. Y est cochon!" réfute Ti-Cul, dans une grimace.

Ti-Loup se fait menaçant: "Aie, Ti-Cul! Je suis tanné, là. Très tanné!

— ... Ou bien un petit canneçon, pis des bretelles? J'en ai plus", supplie Ti-Cul.

Ti-Loup entre dans une colère froide. Il laisse Françoise et monsieur Laramée à leur problème, puis, s'avançant vers lui à pas lents, il le toise avec une expression de rage qui ferait peur à n'importe qui, sauf à Ti-Cul. Le visage de ce dernier s'éclaire d'un grand rire et, du haut de ses trois pieds neuf pouces, il recule en narguant son chasseur: "J'en ai des canneçons. J'en veux pas, ha! ha!..."

Ti-Loup s'élance pour l'attraper, mais Ti-Cul réussit à le garder à distance. Son poursuivant bondit de nouveau, le rate et se relève, humilié. Prudemment, Ti-Cul va se réfugier dans les jupes de Françoise: "ÔTE-TOI DE LÀ!", ordonne-t-elle.

Se sentant trahi, il riposte en tirant d'un grand coup le drap merdeux. Exaspérés, Ti-Loup et Françoise récupèrent l'alèse en prenant bien soin d'ignorer Ti-Cul. Laissé à lui-même, il se remet à crier à tue-tête. Au bout d'un moment, écoeuré de s'égosiller, il se tait d'un coup sec et quitte la salle en claquant la porte.

Françoise et Ti-Loup se sont remis à l'ouvrage. Soudain, un cri strident retentit. Une patiente, angoissée par ce qui se passe à l'extérieur, se cogne le front à grands coups répétés contre les barreaux d'une fenêtre. Autour d'elle se bousculent des pensionnaires, avides d'une place de choix pour mieux suivre l'événement.

Au dehors, un patient tentait une évasion. Deux gardiens se lancèrent à sa poursuite. L'homme courait en tous sens, faisant virevolter une barre de fer vers quiconque osait l'approcher. Il réussit à s'éclipser dans le parc entourant l'institution. Au loin, à la grille d'entrée, des gardes armés se tenaient prêts à intervenir, tandis que d'autres longeaient la clôture à pas feutrés. À tous les étages, à toutes les fenêtres, des patients observaient, impassibles, béatement joyeux ou en état de crise.

3

Découverte

Ti-Cul, dans un état lamentable, suivit le couloir de l'entrée principale. Au bout d'un moment, constatant qu'il y avait bien moins d'activité que d'habitude et, chose intéressante, que l'espace était libre de toute surveillance, il s'avança à pas de loup.

Impressionné, il franchit la grande porte centrale et distingua au loin plusieurs préposés qui maîtrisaient difficilement le fuyard. Tirant profit des circonstances, il contourna discrètement l'édifice gigantesque, puis disparut dans une talle d'herbes hautes. Un peu plus loin, comme il s'approchait de ce qui devait être un cabanon masqué par des broussailles, son regard fut attiré par une silhouette à l'orée d'un petit bois. Un homme, palette à la main, s'affairait à son chevalet. Aussitôt, Ti-Cul se cacha derrière un bosquet. Au bout d'un moment, convaincu de l'indifférence du peintre, il poursuivit son chemin.

Le cabanon avait une porte de bois tellement pourrie qu'elle sortait de ses gonds. En appuyant légèrement sur une planche, il la fit tomber, puis, d'un coup de pied bien placé, en détacha une autre et élargit le trou, juste assez pour se faufiler dans l'ouverture, un membre après l'autre, à la manière d'un chat.

À l'intérieur, il n'y avait rien d'autre que des débris de bois laissés là par ceux qui avaient construit ce lieu. Ti-Cul regarda autour de lui et, déplaçant quelques planches, découvrit une ouverture dans le sol. En curieux, il se pencha prudemment au-dessus du trou, mais il faisait si noir qu'il n'y avait rien à voir. Il réfléchit un instant, puis, avec précaution, s'engagea dans l'étroit passage, les pieds en premier.

Pendant ce temps-là, dans le boisé, le coloriste fébrile se penchait vers sa mallette pour y ranger soigneusement son pincelier et ses essences multicolores. Au loin, un cri surgit dans la pénombre.

La terre déboulait sous Ti-Cul, apeuré et solidement agrippé au rebord. Il réussit à reprendre son souffle, puis à se hisser de justesse à la surface. Ébranlé, il sortit au grand jour, en poussant un soupir de soulagement et se mit immédiatement en marche vers l'entrée du couvent. Il avait à peine fait deux pas qu'il fut surpris par le peintre, figé dans un silence inquiétant. Il lorgna l'homme, espérant dépister ses intentions. Devant les yeux qui réfléchissaient l'inconnu, Ti-Cul n'eut d'autre choix que de rester en alerte pour profiter du moment propice pour filer.

Soudain, le peintre râla profondément, ses yeux papillotèrent, sa tête se renversa et il tomba doucement dans les broussailles. L'affaissement se produisit avec une lenteur étrange sous le regard placide de Ti-Cul. Au bout d'un moment, il se rapprocha pour constater que l'homme avait sombré dans un sommeil profond. Un nuage d'écume rose palpitait sur ses lèvres.

Ti-Cul avait vu dans sa vie beaucoup de maladies et toutes sortes d'agissements. Celle du peintre était sûrement une des plus douces puisqu'elle se réconfortait dans l'oubli. Sans se sentir inquiété, il regagna la porte principale.

4

Pipicaca

Un sifflement musical se répercute au loin, accompagné d'un grincement de roues. Dans un tournant de corridor, apparaît un grand gars robuste au visage presque pubère, dirigeant son chariot encombré de divers récipients en fer émaillé. D'un pas nonchalant, Denis fait sa tournée quotidienne. À chaque station, il prend un pot sale, le vide dans un grand seau, puis le remplace par un pot propre. Pour l'instant, il parcourt le corridor des cellules d'isolement. Au bas des portes, un système de bascule permet de faire l'échange sans même voir le détenu. Denis arrive à une cellule où un patient chante d'une voix riche et mélodieuse *Adieu charmante rive*. Aussitôt qu'il entend renverser la trappe, il s'arrête sec puis reprend le même air... accompagné d'obscénités. Complaisant, Denis applaudit le monsieur qui paillarde de plus belle. À la cellule suivante, lorsqu'il fait basculer le panneau, aucun pot n'apparaît.

"Passez-moi le potte.

— Viens le chercher, ostie."

Denis s'approche du carreau pour engueuler le patient, mais son caractère conciliant et pacifique reprend le dessus: "Si vous voulez rester dans la marde, c'est de vos affaires."

À la fin de sa tournée, Denis accédait toujours à un local tout en tuiles blanches. Il y immobilisait son chariot auprès d'un grand évier double, puis vidait son seau dans un bol de toilette. Il travaillait toujours seul et disait à qui voulait l'entendre qu'une aide lui nuirait plus qu'autre chose. Mais ce qu'il ne savait pas, c'est que de toute façon, personne n'avait le goût de l'assister dans son nettoyage, dont il avait eu la responsabilité dès son arrivée, il y a à peine un an, après avoir vécu dans une dizaine de foyers nourriciers. Avec bravoure, il expliquait que, là-bas, personne n'avait été le patron, sauf lui, et surtout que "tous ces gens-là avaient été très imbéciles de penser l'obliger à obéir à des choses aussi ridicules que de ne pas parler à l'heure des repas ou encore pire, de dire toujours où tu es, jusqu'à quelle heure et pourquoi!" C'était une période de sa vie dont il parlait rarement. Agnès racontait que c'était parce que "à ces places-là, il avait beaucoup souffert, entre autres, d'avoir été maltraité par un homme qui avait dit qu'il oserait même pas lui confier le ramassage du purin de cochon tant il était incompétent". Par contre, il conversait souvent avec Agnès; ils se souvenaient comment ils s'étaient manqués de peu à l'orphelinat et ils se remémoraient pendant des soirées tout ce qui s'y était passé.

Cette fois-là, dans son local, il aperçut Ti-Loup qui venait d'entrer avec un plateau jonché de petits gobelets à médicaments. Les deux garçons s'ignorèrent et Ti-Loup s'installa à un lavabo en silence. Denis déposa son seau dans l'autre évier, renifla profondément, puis se cambra vers Ti-Loup qui avait pris l'habitude de se laver le moins possible et qui empestait son entourage plus qu'immédiat.

"Je viens de vider quatorze pots de marde et puis y'en avait pas un qui puait autant que toi."

Mais Ti-Loup l'ignora de nouveau et continua à vaquer à ses occupations.

"Y a de l'eau en masse ici, Ti-Loup. Ça t'intéresse pas?"

Devant le flegme repoussant de Ti-Loup, Denis ouvrit une armoire, prit une grande serviette épaisse, la plia en accordéon, et après avoir jeté un coup d'oeil dégoûté au vireux, y camoufla la majorité de sa figure puis fixa le tout à l'aide d'un double noeud. Enfin protégé du nauséabond, Denis se remit au travail et finit de décrotter son seau.

5

Le chat noir

Le département privé, impeccable et aménagé avec goût, abritait les patients privilégiés. Ces pensionnaires payants disposaient d'une chambre particulière, avec salle de bain attenante et savon parfumé, et pouvaient à leur guise commander leurs repas à l'extérieur.

Déjà à l'âge de douze ans, Régis s'occupait de remplacer la lingerie sanitaire. Il avait l'air innocent comme une colombe, malgré des dessous bien comme les autres et son charme lui assurait la considération des religieuses, surtout de la soeur Honorine, une petite sèche qui n'aimait pas grand monde. Et c'est comme ça qu'il avait déniché un ouvrage aussi important. Au fond de lui-même, Régis désirait en arriver plus tard à faire des choses qui resteraient, qui changeraient pour le mieux telle ou telle organisation. Le soir, dans son lit, il mijotait de longues heures et avait planifié comment il gérerait un endroit aussi complexe que l'hôpital. "Pour la nourriture, en général, ça va pas mal. Quant aux patients, il faudrait leur donner plus souvent des desserts sucrés, pour le moral, et puis aussi essayer de voir avec des prêtres spécialisés si ce serait pas possible de faire sortir le démon de leur âme. Après ça, il faudrait tout agrandir le couvent. Il y a un patient à la salle G qui a surveillé des gros travaux de construction du temps qu'il n'était pas malade. Quand il ira mieux, il faudra lui demander de faire un plan et de ne pas oublier un bassin très large pour se baigner et aussi une place assez chaude et humide pour les légumes en hiver. Mais le plus urgent ce sont des allées de quilles supplémentaires, parce que, comme c'est là, pour jouer un petit quinze minutes il faut attendre jusqu'à deux heures et ça, ça énerve les patients pour rien."

Dissimulé derrière une pile de serviettes, Régis pénètre chez madame Grégoire, une dame d'âge mûr qui, jadis, dut en faire rêver plus d'un. En sa présence, l'atmosphère était indéfinissable. Elle avait vécu à beaucoup d'endroits et se faisait un plaisir de transmettre tout ce qu'elle savait, peut-être pour améliorer le sort de chacun. Après la mort de son mari, on disait qu'elle avait préféré le couvent à sa maison. Il paraît que sa parenté le lui avait conseillé pour enrayer le souvenir. Elle recevait de la visite aux fêtes, mais, le reste de l'année, c'était difficile vu que ses enfants habitaient loin et avaient eux-mêmes une famille dont il fallait prendre soin. Quand on insistait un peu, elle décrivait avec tous les détails sa maison, ses deux fils, sa fille, ses petits-enfants et c'était bien intéressant.

Ti-Cul se tient solennellement aux côtés de la dame et l'écoute comme si c'était le Bon Dieu. Elle lui enseigne un petit poème enfantin: "... Pour le trouver..."

Ti-Cul fait de son mieux pour imiter son élocution: "Pour le trouver...

— ... Rien à faire!"

Madame Grégoire a ponctué ce dernier vers avec emphase, comme il se doit. Cette conclusion enchante Ti-Cul qui la redit avec enthousiasme: "Rien à faire!"

Les applaudissements de madame Grégoire et de Régis délectent Ti-Cul. Aussitôt, il demande un rappel:"Encore...? Tout seul!"

La dame acquiesce en souriant. Il s'exécute en mordant dans toutes les consonnes.

"J'ai dans ma cave un chat noirrr.
Ses yeux sont de couleurrre clairrr.
Quand il les ferrrme: Bonsoirrr.
Pourrr le trouver, rrrien à fairrr!"

Cette fois, Ti-Cul s'acclame lui-même. Depuis un moment, la soeur Honorine se tient sur le pas de la porte, avec un sourire forcé, pour appuyer la joie de madame Grégoire. Derrière elle, quelques patientes sont bouche bée devant le beau poème.

Émue, madame Grégoire prend la main de l'enfant et la serre contre elle: "Il a du talent. S'il travaille fort... Rappelle-moi ton nom.

— Ti-Cul, madame."

À l'écoute de ce surnom grossier, soeur Honorine se renfrogne et, prestement, indique aux enfants par où sortir. Puis, elle invite poliment les spectatrices à regagner "leurs appartements". Dans l'embrasure, soeur Honorine s'enquiert mollement: "Tout est correct, là, madame Grégoire?"

Les gens l'ont quittée, le sourire de la dame s'est éteint et son regard s'absente dans la mélancolie: "Est-ce l'heure de mon apéritif, ma soeur?

— Non! À huit heures, ce soir.

— Quelques gouttes seulement, dans un p'tit verre à sirop..."

Soeur Honorine tranche la question d'un dernier regard, puis quitte les lieux. Accablée, madame Grégoire fixe la porte qui, à son grand désarroi, restera close jusqu'à la prochaine visite.

Dans le corridor, soeur Honorine sermonne Régis et Ti-Cul: "Monsieur Lupien... et vous Aloysius... à partir de maintenant, je ne veux plus vous voir dans mon département. On a autre chose à faire."

Régis désire ardemment atténuer sa mauvaise humeur: "Oui, mais ma soeur...

— RRRégis!"

Dans une inflexion de la tête: "Oui, ma soeur."

Ti-Cul la regarde s'éloigner en murmurant entre ses dents: "Rrrien à fairrre."

Inquiet pour son emploi, Régis s'était remis au travail avec une ardeur inébranlable. Ti-Cul, lui, flânait en surveillant les activités dans chacune des chambres devant lesquelles il passait. Tout à coup, il s'arrêta devant un petit office dont la porte entrouverte laissait voir deux infirmières en train de classer des dossiers et, sur une tablette, une lampe de poche qu'il contempla discrètement, mais avec beaucoup d'intérêt.

6

La renommée

Contrairement aux autres chambres du département privé, plus belles que celles des livres de décoration, celle du peintre était dans un désordre perpétuel et sentait, par moments, très fort la térébenthine. Par terre, autour de lui, il y avait des dizaines de tubes de toutes les couleurs. Quand il devait trouver rapidement la teinte de son choix, il fouillait délicatement le sol avec ses pieds en quittant le moins possible son travail des yeux. Assis au chevalet, palette à la main, il contemplait d'un oeil avide l'ébauche de son tableau. Il recueillait un peu de couleur du bout de son pinceau, s'apprêtait à l'appliquer sur la toile et, souvent, restait ainsi sans désemparer, suspendu à son geste pendant de longs, parfois même de très longs moments.

Quelqu'un frappe à la porte. Sans attendre d'invitation, Régis apparaît, poussant un petit chariot médical: "Bonjour."

Vaguement surpris, le peintre lui jette un coup d'oeil puis revient à son canevas. Il approche son pinceau de la pochade, mais s'arrête à mi-chemin, perplexe: "J'sais plus ce que je voulais faire."

Campé devant le dessin, Régis reconnaît un coin du parc, surplombé par un pan de mur de l'institution.

"J'ai pris du jaune. Je sais plus où je voulais le mettre", s'impatiente le peintre.

Le style du croquis désarçonne Régis: "Le couvent est en train de tomber par ter..."

Aussitôt, il se reprend, comme si c'était l'évidence absolue: "C'est parce que vous êtes malade."

Une jeune femme au regard transparent et affable entre et se dirige spontanément vers le chevalet. Elle examine l'oeuvre avec étonnement: "Y'a pas beaucoup de soleil là-dedans."

Le pinceau du peintre s'anime: "Ah! le soleil!... C'était pour ça, mon jaune."

Soeur Sainte-Anne approche le petit chariot médical, en sort un appareil à pression artérielle et enveloppe le bras du patient qui grimace de mécontentement: "Je vous empêche de travailler, hein? Ce sera pas long, dit-elle avec un oeil rieur. C'est pour votre bien.

— Quand une soeur me dit ça, ça me fait peur."

Régis ricane. En bon joueur, elle rit aussi: "Un grand artiste comme vous!"

Elle déroule délicatement le brassard. Mais il la repousse, l'arrache lui-même et le lui rend: "Reprenez donc vos bébelles, puis laissez-moi à mon art!"

Soeur Sainte-Anne, habituée aux humeurs du peintre, n'en fait pas de cas: "C'est ce que vous préférez hein?... des paysages?

— ... des paysages tout croches!" Le sarcasme de Régis irrite le peintre: "Tout le monde a pas les mêmes yeux!" rétorque-t-il.

Soeur Sainte-Anne met doucement sa main sur le bras de Régis en lui montrant les lignes du dessin: "C'est pas complètement réaliste... mais ça crée une impression."

Le peintre se réjouit de l'intervention: "Exactement! Je fais de l'impressionnisme!"

Soudain intéressé, Régis scrute le tableau et peu à peu en saisit le sens et aussi la beauté.

D'une main professionnelle, soeur Sainte-Anne cherche une lésion dans la chevelure du peintre qui sursaute de douleur: "Bougez pas... bougez pas... Je sais que c'est sensible, mais il faut désinfecter ça", dit-elle en soignant l'ecchymose avec un tampon.

"Est-ce que ma tête est encore bonne?"

Amusée, soeur Sainte-Anne le rassure gentiment: "Ah! oui... Elle semble pleine de toutes sortes de choses étranges... mais intéressantes.

— Vous trouvez?" Il se cambre vers elle. "Vous êtes donc bien fine! Êtes-vous une vraie soeur?"

Électrisé, il pivote sur sa chaise pour la ceinturer vigoureusement.

Barbouilleux désirait souvent le moment où soeur Sainte-Anne le visiterait pour sa tournée médicale. À maintes reprises, il s'était inventé des douleurs pour qu'elle s'occupe de lui, le dorlote un peu. Mais jamais encore il n'avait osé... Quand elle avait le dos tourné ou qu'elle lui pansait la tête, souvent blessée par ses chutes, il en profitait pour la deviner, l'imaginer étendue auprès de lui. Puis il fermait les yeux pour mieux s'imbiber de son odeur.

Régis rigole par anticipation, tandis que la religieuse se dégage en riant pudiquement: "Monsieur Leclerc!... Vous êtes assez malade comme ça!"

Le peintre le prend mal et s'assombrit: "Plus personne ne vient me voir." Son regard se voile d'inquiétude. "Est-ce que je tombe souvent?"

Mal à l'aise, soeur Sainte-Anne retourne à son chariot pour ranger ses appareils: "Pas trop... Rien de grave.

— Vous *êtes* une vraie soeur. Vous dites rien... ou bien vous dites n'importe quoi."

Soeur Sainte-Anne se débat avec sa conscience. Au bout d'un moment, elle avoue dans un murmure: "Dans les deux derniers mois... vous êtes tombé cinq fois.

— Merci, ma soeur."

Le peintre se réfugie dans une attitude froide et calme face à la religieuse et à sa condition qu'il désire ardemment clarifier: "Qui *paie* pour que je sois dans le département privé?"

Un silence s'est installé entre eux. Soeur Sainte-Anne détourne les yeux: "Laisse-nous, Régis."

Il s'éclipse discrètement, conscient de la gravité de la conversation.

La religieuse l'a suivi du regard tandis que le peintre attend la suite stoïquement. Elle se recueille un moment, puis lui parle en toute sincérité: "C'est *vous* qui payez votre loyer, monsieur Leclerc. Vous avez une grande renommée... à l'extérieur de nos murs."

Le peintre soupire, incrédule: "Vous vous moquez de moi.

— Le temps de votre exposition approche. Le Ministre a promis de venir. Il faut vous ressaisir."

Le visage du peintre se glace. Cette responsabilité soudaine et imposée le plonge dans une stupeur qui fait chanceler douloureusement sa pensée à l'idée que des étrangers puissent s'emparer de ce qu'il possède, de ce qu'il sait faire et surtout de ses futurs dessins. Ils les lui enlèveront sans qu'il sache où ses toiles seront emportées ni vers qui. La fragilité des uns arrange ceux qui savent bien la faire valoir. Il se demande ce qui arriverait si dorénavant il ne peignait plus, en tout cas, pas devant la "galerie", juste pour lui, à l'intérieur de lui où pourraient s'entasser une multitude de tableaux.

Quelquefois, il pourrait même les retoucher, les remanier au fil de ses états d'âme, puis les reposer de nouveau. Mais comment faire pour ne pas les oublier? Est-ce vraiment important... Peut-être que la dernière peinture pourrait englober toutes les autres, représenter toutes les courbes, les anxiétés, les incertitudes qu'il faut camoufler pour garder en toute sécurité le dernier dessin.

Les réflexions du peintre se faufilent hors de lui: "Celui qui tombe et se blesse, sans savoir comment, n'est plus sûr de rien."

Soeur Sainte-Anne va au chariot et le pousse hors de la chambre. Elle revient sur ses pas, porte son regard sur le peintre immobile puis, pensive, referme la porte délicatement.

7

Les Saints Martyrs canadiens

La densité des profondeurs masquait l'espace tout entier. Seuls réussissaient à s'infiltrer des bruissements sourds et indistincts. Soudain, une lueur blafarde émana de la noirceur, pour se transformer en traînée lumineuse. Ti-Cul venait de se glisser dans le trou souterrain. Il aboutit dans un passage en terre dont le plafond était si bas qu'il dut se courber. Aussitôt, il fut transpercé par l'air humide et dense. Il releva la tête et frôla la paroi. Elle semblait flotter. Une sorte de boue suintait et il en eut bientôt partout sur le visage. Il éclaira au loin, et tout ce qu'il vit, c'est le tunnel qui se refermait. Effrayé, il se mit à quatre pattes en prenant bien garde de ne s'appuyer d'aucune façon pour ne pas que le tunnel fragile l'engloutisse. Il respira profondément puis se gratta la tête bien comme il faut de peur qu'un des habitants du noir ne se cramponne à lui pour se venger parce qu'il avait osé entrer dans un lieu interdit. Tremblant, il se demanda s'il avait bien fait de garder pour lui son secret et de revenir seul explorer plus à fond parce qu'après tout... et puis non. Tant qu'à découvrir, aussi bien découvrir comme du monde, tout seul. Regardant droit devant, il s'accrocha fermement à sa lampe de poche, résolu à atteindre l'extrémité de l'étroit passage.

Au bout de l'échappée, le plafond se surélevait pour se transformer en tunnel taillé dans la pierre, puis en couloir interminable aux parois de ciment, assez hautes pour qu'un adulte puisse s'y tenir debout. Une bifurcation l'embêta un long moment. Instinctivement, il choisit le côté qui conduisait à une grosse porte de métal. Il eut beau se hisser sur la pointe des pieds, il ne put atteindre la poignée. Après avoir frappé à la porte, il tendit l'oreille... sans résultat. Alors il posa sa lampe et fut aussitôt entouré d'ombres imposantes. Aussitôt, il s'élança sur la poignée, l'effleura à peine et s'affaissa durement sur le ciment. Les yeux brouillés de larmes, apeuré et enragé, il bondit à toute vitesse pour s'accrocher à deux mains et resta ainsi pendu par les bras, ses jambes ballottant dans le vide. Il entendit un crissement et, dans une lueur d'espoir, redoublant d'énergie, battit des pieds de toutes ses forces contre le chambranle. Finalement, la poignée retomba et il fut violemment projeté sur le sol. Les dents serrées, il poussa la lourde porte qui s'ouvrit lentement.

C'était un autre corridor, plus aéré que les précédents. Ti-Cul balaya de sa lampe le plancher en béton et les murs droits passés au crépi. Un peu plus loin, il hésita un moment devant l'escalier mais choisit, à la place, de se diriger vers une porte en bois.

Dans la pièce encombrée, il découvrit un bouton électrique. Ébloui par la clarté soudaine, il déposa sa lampe et vacilla d'admiration devant l'amoncellement de conserves, fournitures médicales, barils de pommes et paniers de patates qui surgissaient devant lui. Au fond de l'entrepôt, il trouva un évier sur lequel il se hissa pour boire avidement. Tout à coup, entendant des pas au loin, il coupa la lumière et referma soigneusement la porte. Sa silhouette se découpait dans la lueur blafarde de sa lampe de poche. De l'autre côté, les pas se rapprochaient; Ti-Cul éteignit promptement sa torche. Un filet de lumière se glissa sous le seuil. Il gémit de peur.

Dans le corridor, la soeur économe venait d'allumer le réseau des petites ampoules qui longeaient le plafond. Elle aussi était inquiète. Qui était en train de fouiller son entrepôt? Elle avança à pas feutrés, ouvrit la porte d'un coup sec, abaissa le commutateur et poussa un cri, plus surprise qu'effrayée, à la vue de Ti-Cul, si petit, et figé par la peur. Pour cacher son trouble, elle décida d'adopter une attitude autoritaire: "Mais, qu'est-ce que tu fais là?"

Ti-Cul, de son côté, voulait éviter les questions indiscrètes. Sur-le-champ, il choisit de brailler à tue-tête. Soeur Hélène avait beau essayer de le consoler, puis de le faire taire, puis de le sortir de là, ses hurlements ne baissaient pas d'un ton. À court de moyens, la religieuse le prit dans ses bras et l'emporta à l'extérieur de l'entrepôt.

Sur la poitrine de soeur Hélène, sous le couvert d'une crise de larmes, Ti-Cul jouissait d'un point de vue idéal pour mémoriser ce qu'il voyait en chemin: des pièces attenantes, des commutateurs, l'escalier où ils s'engageaient et, finalement, l'issue qui les ramenaient en surface, dans un corridor très achalandé. Juste à côté de la sortie, il remarqua un tableau qui dépeignait le Supplice des Saints Martyrs canadiens et l'étudia consciencieusement pour le retenir comme point de repère. Cela fait, il s'arrêta net de pleurer, s'arracha aux bras de soeur Hélène et fila en flèche pour se mêler aux passants.

Soeur Hélène tenta de le retenir pour le questionner, mais c'était peine perdue. Puis elle rebroussa chemin pour vérifier la fermeture de la porte. Ouf! Le gros verrou mécanique avait bien fonctionné. Son domaine était imprenable. Rassurée, elle se dirigea vers ses obligations.

8

Le pain, le beurre

La patiente de service s'empresse autour des longues tablées de pensionnaires adultes et enfants en grande conversation ou simplement agités par l'attente et la senteur des mets qui leur chatouille le nez. Sur son chariot, est posé un énorme chaudron rempli de rata à toutes sortes de choses indéfinies. La dame s'arrête à chaque table, plonge sa louche dans le ragoût, en remplit un bol qu'elle pose au milieu des convives. Il y a toutefois des retardataires, Régis, Françoise et Ti-Loup.

L'estomac dans les talons, ils entrent en trombe et s'assoient à la ronde. Un garçon se rue à l'extrémité d'une table, aux côtés d'Agnès, saisit une assiette et la tend vers le plat de résistance. Avec autorité, Denis commence le service. Sébastien saute en bas de sa chaise et tient maintenant son écuelle à bout de bras. Mais tous se contentent avant lui parce qu'ils sont plus grands ou parce qu'ils parlent plus haut. À la fin, Denis se prend une bonne portion, puis gratte le fond du plat à l'intention de Sébastien qui aussitôt commence à énumérer les condiments qu'il désire, d'une voix lente et posée: "Le pain, le beurre, le sel, le poivre, la moutarde, le ketchup, le lait, s'il vous plaît."

Tout le monde l'ignore.

À tous les repas, c'était comme ça. Il avait eu beau se pointer à plusieurs occasions quinze minutes avant tout le monde, ça n'y changeait rien. Premier arrivé, dernier servi. Un jour, il y avait eu un gros spécial: du poulet tout en tranches avec les cuisses et les ailes. Comme à l'habitude, Denis choisissait à son gré qui recevrait beaucoup de patates ou deux grosses cuillerées de bonne sauce bien brune et bien épaisse. On avait tous commencé à manger et Sébastien regardait son assiette pensivement. Il tripotait sa viande brune pour tenter d'oublier sa purée de légumes et demanda à une petite fille, assise en face de lui: "Gisèle, ça goûte comment le blanc?" Tout le monde s'était mis à rire et Sébastien avait continué son repas en silence. Il avait des cheveux blonds très fins et ses mèches retombaient sur ses yeux, qui semblaient toujours appeler à l'aide comme si c'était écrit dans son visage qu'il ne pouvait être comme les autres, avec l'énergie qu'il fallait pour s'imposer. Sa seule relation, c'était Régis qui lui accordait une attention occasionnelle pour, après, ne plus s'en préoccuper. On savait peu de chose de Sébastien, sauf que depuis qu'il était au couvent, les soeurs le punissaient souvent parce qu'elles ne savaient plus comment le faire travailler et qu'il faisait tout croche la besogne la plus élémentaire.

Les condiments voyagent mais sans passer par Sébastien qui répète sans arrêt sa litanie; à chaque tour, il chantonne un peu plus vite et avec un peu plus d'intensité jusqu'à ce que ça devienne une scie insupportable: "Le pain, le beurre, le sel, le poivre, la moutarde, le ketchup, le lait, s'il vous plaît!"

Ti-Loup s'impatiente sur le même ton: "Aie! Sébastien, la paix s'il vous plaît."

La petite voix furieuse de Gisèle glapit dans les oreilles de Sébastien: "On s'entend pas manger!"

Elle saisit la fourchette de Sébastien et la claque sur son assiette puis revient à son boeuf à la mode.

Pour ses huit ans, Gisèle était très délurée, surtout avec les religieuses. Elle prenait plaisir à les questionner à propos de tout et de rien, ayant un réservoir inépuisable d'arguments qui compliquaient la chose la plus facile que les soeurs attendaient d'elle. Et, toujours, elle réussissait à les tanner, à tel point qu'on préférait éviter de lui demander le moindre service puisque c'était plus simple de le faire soi-même que de s'embrouiller dans sa conversation. Elle avait une grande amie qu'elle ne quittait jamais et à qui elle racontait tout. Elles étaient ensemble depuis aussi loin qu'elle puisse se souvenir, en tout cas pour sûr avant son départ de l'orphelinat, à l'âge de trois ans. Mais sa poupée avait souvent besoin de rafistolage, surtout les cheveux qu'on pouvait compter sur les doigts de la main. Gisèle avait eu beau la tremper dans l'eau de Javel, puis la parfumer, sa catin aurait eu besoin, selon les dires de Ti-Cul, d'une opération générale en règle.

À une table voisine, un patient se rebiffe et empoigne un pot de moutarde: "Quiens! N'en v'là de la moutarde. Mange-la toute!"

À toute force, il la balance approximativement en direction de Sébastien. Plusieurs se penchent tandis que le pot les survole pour s'écraser quelque part entre deux chaises. Écoeuré, Sébastien recommence avec encore plus de vivacité: "La moutarde!... Le pain, le beurre, le sel, le poivre, le ketchup, le lait, s'il vous plaît!"

L'indifférence est générale. Deux tables plus loin, Régis se dresse, hors de lui: "Y'en a pas un maudit qui peut lui passer quelque chose?"

Il attrape une bouteille de ketchup, s'avance résolument vers Sébastien puis, impassible, la pose devant lui: "Tiens, Sébastien", et retourne à sa place sous l'oeil blasé de l'assemblée.

À cet instant, Ti-Cul fait son entrée, arborant un sourire énigmatique. Il s'installe pompeusement et tend son assiette vers Denis qui lui désigne la terrine vide: "Tiens... Prends-en du mien."

Ti-Cul le toise, son sourire va s'élargissant, ce qui le rend mystérieux comme un sphinx.

"Qu'est-ce que t'as, donc?" lui demande Denis avec appréhension.

D'autres yeux se portent sur lui. Un silence a pris place. Ti-Cul, satisfait de l'attention qu'il suscite, demeure impénétrable et se demande combien de temps il pourra tenir sans révéler ce qui lui brûle les lèvres.

Dès le lendemain, un convoi secret s'acheminait à pas menus vers les profondeurs souterraines. Aux tournants des couloirs, les mains moites, on tâtait à la hâte les parois crevassées par le temps, collés les uns aux autres et à la lampe de poche de Ti-Cul, sur la pointe des pieds pour ne pas déranger les petits êtres méfiants et souvent invisibles à l'oeil nu. Ce qu'il y avait de saisissant, c'étaient les couloirs qui donnaient l'impression, par leurs embranchements, de s'aventurer bien au-delà du sous-sol de l'hôpital. Les résidents, dont avait parlé Ti-Cul, avaient dû trimer pendant des années pour creuser une place si compliquée et si mystérieuse. Par moments, circulait une sorte de vent très léger, imprégné d'une odeur lourde comme celle de certains médicaments. Mais ça passait très vite, sans s'arrêter. En tant que guide, Ti-Cul avait beaucoup d'autorité et chuchotait ses ordres sans même se retourner: "... C'est comme ça pour un bon bout."

Puis menaçant: "Mais attendez à tout à l'heure."

56

Sébastien frémit de peur: "Qu'est-ce qui va y avoir?"

Prestement, Ti-Cul le remet à sa place: "Tais-toi, faut pas parler.

— Pourquoi?" s'inquiète Gisèle.

— "Pour pas qu'ils nous entendent.

— Qui ça?" Insécure, le grand Denis se penche vers Ti-Cul.

Soudain retentit un grognement épouvantable. Agnès saisit le bras de Denis, Gisèle s'accroupit auprès de Sébastien, tandis que Françoise et Ti-Loup sont glacés d'effroi. Dans un cri déchirant, Ti-Cul a laissé tomber sa lampe et braille, les yeux collés au sol. Au bout d'un moment, il se ressaisit et se tourne furieusement vers Régis qui jubile, le sourire aux lèvres: "Maudit cocombre, de citrouille, de patate pourrite!"

Régis les nargue, fier de son coup. Certains rient nerveusement, d'autres protestent contre la plaisanterie douteuse. Agnès décide de prendre la situation en main. Elle ramasse la lampe et se met en marche fébrilement, aussitôt suivie par le groupe.

Arrivée à une bifurcation, elle s'en remet à Ti-Cul: "Où est-ce qu'on va?"

Ti-Cul y pense un bon moment, étudiant soigneusement la situation. Tout le monde attend son verdict. Se redressant, il pointe du doigt avec assurance: "Par là."

Agnès éclaire dans cette direction, puis l'autre allée: "Es-tu sûr?

— Non."

Ti-Cul concède qu'il est perdu. Les marcheurs deviennent anxieux.

"Qu'est-ce qu'on fait?" s'impatiente Agnès.

Chevrotant, Ti-Cul n'ose plus avancer: "Je l'sais pas.

— On s'en retourne, décrète Agnès.

— "Oui, oui, oui!... Vite!" À l'arrière du peloton, Sébastien respire difficilement. Angoissé, il se réfugie auprès de Régis pour s'accrocher à son épaule.

Agnès ayant fait volte-face, tous lui emboîtent le pas dans un silence sépulcral.

9

La messe

On avait les yeux petits comme à l'aube d'un jour de semaine. Un chant flûté enveloppait les fidèles dispersés sur plusieurs bancs. Accompagnée à l'harmonium par soeur Julienne, Agnès venait d'entonner l'*Agnus Dei*, prolongeant la mélodie de son timbre vibrant. Comme à l'habitude, Françoise et Ti-Loup étaient assis côte à côte; elle priait avec ferveur, lui somnolait.

Françoise égrenait son chapelet, subjugée par l'exaltante statue de la Vierge quand, tout à coup, comme si elle était saisie par une extase mystique, ses yeux s'écarquillèrent. Elle se tourna vers Ti-Loup et le réveilla d'un coup de coude. Récalcitrant, il la repoussa pour s'assoupir de nouveau. Françoise, sans quitter la Vierge du regard, chuchota à son ami qui se mit à grogner. Avec insistance, elle lui indiqua l'imposante statue de Marie. Et là, Ti-Loup s'intéressa à la belle dame et à la multitude de *chandelles*... qui déversaient sur elle une si belle lumière. Son visage s'épanouit, il ricana tandis que Françoise entamait religieusement un *Pater Noster* en cinquième vitesse.

Le prêtre venait de terminer sa messe. Debout au centre de la sacristie, il se défaisait rituellement de ses habits sacerdotaux. Ti-Loup s'insinua à ses côtés avec, sur le visage, un enthousiasme un peu trop catholique. L'abbé Ménard était ému par l'effervescence du néophyte, comme il disait: "Ah, que je suis heureux, Pierre. Si soudainement! Comment ça t'es venu?

— Comme ça, répond Ti-Loup après une longue hésitation.

— La grâce est descendue sur toi? Le Seigneur t'a parlé?

— Non, mon père. C'est Françoise.

— Ah!... Françoise est une fille très pieuse. Elle t'a bien guidé.

— Quand est-ce que je commence?"

Le prêtre ne semble pas comprendre la question.

"J'ai hâte de servir la messe, mon père.

— Ça ne se fait pas si vite que ça, Pierre. Il faut apprendre du latin...

— J'en sais du latin."

L'abbé Ménard est agréablement surpris: "Ah oui? Qu'est-ce que tu sais?

— Deux minous vos biscounes."

Ti-Loup cherche la suite.

"Et puis après, je ne m'en souviens plus.

— Ah! oui. C'est bien, mais il faut en savoir plus que ça.

— Allez-vous m'apprendre? demande Ti-Loup avec ardeur.

— Bien sûr! *Près du Dieu de ma joie. Ad Deum, qui laetificat juventutem meam.* Répète ça."

Avec assurance, Ti-Loup marmonne n'importe quoi.

Un peu déçu, le prêtre le toise avec indulgence: "Ça fait rien. On retravaillera ça. *Bis repetita placent.* Ce qui veut dire:...

— Est-ce que je peux voir mon costume?

— ... Ton costume?"

Les ayant repérés depuis un bon moment, Ti-Loup se dirige vers les vêtements du culte, accrochés à des patères: "Ah, que c'est beau!"

L'abbé Ménard veut faire partager ses connaissances sur l'origine de l'apparat liturgique: "La soutane, pelure peu apparente lors des célébrations, camouflée sous le surplis, la soutane, habit quotidien..."

Il faut que Ti-Loup fasse vite. En bonne posture, tout près des armoires alignées, il ouvre les portes en s'exclamant d'admiration: "C'est tellement beau!

— Bon! On y va. Je te ferai appeler par soeur Julienne", réplique le curé en fronçant les sourcils.

Ti-Loup ne bouge pas d'un poil. Il avise une statue de l'Immaculée Conception qu'il désigne du doigt: "Avant de partir, est-ce que je pourrais faire brûler une bougie pour la Sainte Vierge?

— Bien sûr!"

Le curé Ménard ouvre enfin la fameuse armoire où se trouvent empilés les trésors convoités. Ti-Loup fait montre de beaucoup d'intérêt et, cette fois-ci, c'est sincère. L'abbé lui offre un cierge. Ti-Loup l'allume et regarde la flamme s'élever avec ravissement.

10

L'entrepôt

Un essaim de lucioles bougeait et clignotait dans le noir. Émerveillés, chandelles à la main, on avait embouqué le monde des ténèbres. Ti-Cul, à la tête du peloton, passa la porte de métal et actionna le commutateur. La lumière fit cligner les yeux, les chandelles s'éteignirent au travers des rires et des murmures de soulagement. Ti-Cul dirigea ensuite le groupe à l'intérieur de l'entrepôt. Il hésita avant d'allumer, retardant l'effet escompté. L'admiration collective devant ces provisions pour l'éternité lui donnait l'impression d'avoir accompli quelque chose d'important, d'avoir trouvé une sorte de ciel sucré. En voyant Gisèle ouvrir un pot de confiture et y tremper les doigts pour s'en gaver, il se sentit comblé comme quelqu'un qui offre l'inespéré, le meilleur. Agnès, d'habitude si contenue, pour montrer que c'était elle la patronne, se mit à fouiller dans un tonneau de pommes et à croquer à la ronde, comparant la saveur particulière de chacune. Ti-Cul, pour un moment, s'imagina, coiffé à la brillantine, avec des bas très pâles comme son habit et, au doigt, une bague ornée d'une pierre noire comme la nuit, dans une place toute verte et rose, que seuls ses amis pourraient reconnaître; les autres, eux, passeraient devant sans même se douter que cet endroit-là serait aussi plaisant. Régis ouvrit un pot rempli de pilules multicolores et le vida dans ses poches. Le sourire en coin, Ti-Cul imagina les yeux exorbités de soeur Joseph-Albert si elle apprenait qu'eux, les enfants, grignotaient les secrets du couvent. Le grand Denis avait la tête plongée dans une caisse pleine de boules à mites et essayait des chiennes blanches en prenant un air important. Quant à Sébastien, il était content d'être là et examinait les tablettes de loin comme dans un rêve dont on ne veut pas se réveiller. Avec fierté, Ti-Cul s'approcha de lui et l'emmena dans un coin. Là, il grimpa sur le grand et profond évier, fit couler l'eau profusément puis redescendit dans un silence solennel.

Accroupie auprès de Ti-Loup, Françoise se gave de carottes. Une pensée ingénieuse lui traverse l'esprit: "Oui, mais il faut tout remettre ça comme c'était, pour que personne s'en aperçoive.

— On en prendra juste quand on en aura besoin", acquiesce Ti-Loup.

Régis a, autour de lui, une dizaine de pots d'entamés: "Moi, je pige dans le fond. Ça paraît pas."

Interrompant ses activités, Agnès emprunte une attitude d'autorité: "Aie! les enfants, là! On pigera *quand* on en aura besoin, puis on décidera de *quoi* on a besoin et *qui* en a besoin."

La bouche pleine de confiture, Gisèle se lèche les doigts: "Il *faut* demander la permission."

Régis n'est pas venu en bas pour se faire donner des ordres: "À qui?

— À tout le monde", réfute Denis en se rangeant du côté d'Agnès.

Régis les ignore et continue à ratisser de plus belle, cette fois dans une boîte contenant des ampoules électriques, sous l'oeil désapprobateur d'Agnès. Refrénant sa colère, elle lui retire une ampoule des mains, la flanque dans la boîte et lui parle dans le nez: "C'est la loi!"

Régis doit se plier à la majorité. Les fouilles reprennent, mais avec méthode et vigilance. Curieuse de leurs trouvailles, Gisèle s'avance vers Ti-Loup et Françoise. Sur son visage se lit une expression de dégoût: "Ouache que ça pue! Qu'est-ce qu'il y a là-dedans?"

Françoise et Ti-Loup prennent bien garde de réagir. En suivant son nez, Gisèle aboutit à Ti-Loup et comprend: "Ah oui!"

Elle s'éloigne en se pinçant le nez. Tout aussi écoeurés, les autres se concertent en silence puis Denis ouvre grand les deux robinets du lavabo. Tous convergent vers Ti-Loup et, malgré ses récriminations, le transportent pour l'immerger tout habillé dans l'évier, qui s'emplit d'eau. Françoise appuie cette initiative en le savonnant vigoureusement, ce que Ti-Loup lui-même aurait dû faire il y a déjà quelques semaines.

Soudain ils sont saisis de panique. Quelque chose d'indistinct chuinte au loin. Aussitôt Denis ferme les robinets tandis qu'Agnès éteint la lumière. À travers les murmures effrayés, Denis rallume sa chandelle, fait signe aux autres d'écouter... Rien! Il entrouve la porte et regarde... Rien! Pressant, il brise le silence: "On s'en va!"

Ce fut l'exode en désordre. Dégoulinant de toutes parts, Ti-Loup cavalait péniblement. Les chandelles giclaient et, dans la fuite, se mouraient aussitôt. Ti-Cul menait le cortège, concentré sur la route tracée par sa lampe de poche. On passa enfin la grosse porte de métal, se mettant à plusieurs pour la refermer. Énervés, épuisés, on fit surface, s'entassant les uns sur les autres et on revit avec soulagement la lumière tamisée du vestibule du souterrain.

Ti-Loup, imbibé de la tête aux pieds et grelottant, tord ses vêtements tandis que Denis, attisé par les éclats de rires, fait de lui une imitation douloureuse et convaincante. Excédé, Ti-Loup lui balance sa chemise en pleine figure. Comme Denis amorce un geste de vengeance, Agnès intervient en criant sur le souffle: "Arrêtez, maudite affaire! Il faut sortir d'ici."

Puis, scrutant les visages: "Qui va faire le chef indien?

— Régis!... Où est Régis?" questionne Sébastien affolé.

La frayeur envahit le groupe qui se fige dans un long silence.

"Ah! lui!" s'écrie soudainement Agnès.

Le visage de Sébastien se crispe d'anxiété: "On va le chercher?

— Y a fait exprès, affirme Denis.

— Qu'y s'arrange!" renchérit Agnès.

En éclaireur, Gisèle glisse un oeil par une fente de la porte qui donne sur le jardin: "Qui c'est ça?"

Aussitôt, elle est encerclée par les regards inquisiteurs. Ti-Cul se faufile et entrevoit le patient aux pinceaux: "Ah! je le connais, lui. Y est du département privé.

— Qui c'est?" s'inquiète Denis.

Ti-Cul le rassure nonchalamment: "C'est un tombeux.

— Qu'est-ce que c'est ça, demande Gisèle.

— Ben... un homme qui tombe.

— Sans le savoir", rajoute Ti-Loup en connaisseur.

Pour mieux faire comprendre cette étrange maladie, Ti-Cul chavire en convulsions avec soubresauts prononcés, tire la langue dans un râle des plus creux et s'affaisse en bavant des bulles. Maintenant, Gisèle se souvient: "Ah oui!

— Ils sont pas dangereux, dit Françoise avec assurance.

— Non. Ils s'en souviennent même pas." L'inquiétude de Sébastien s'est estompée.

Lorgnant discrètement du côté du peintre, on se glissait à l'extérieur un à un, en catimini, quand tout à coup l'homme se retourna pour jeter sur le groupe un regard soutenu, puis s'étirer les bras en bâillant. Finalement, comme si de rien n'était, il reprit sa peinture. On s'éloigna rapidement, perplexes quant au hasard de la rencontre avec l'importun clandestin.

11

Indigo

Le même après-midi, Gisèle, Sébastien et Agnès pénétrèrent dans le corridor immaculé du département privé, balançant chacun à bout de bras un panier rempli de serviettes fraîches. Pour l'occasion, Agnès avait soigneusement attaché ses cheveux et elle tirait sur sa robe fleurie pour s'assurer qu'aucun pli indésirable ne vienne s'y loger. Gisèle avait retourné deux fois sa jupe à la ceinture pour lui donner la longueur désirée et avait orné sa coiffure d'une barrette rouge qu'elle ne portait que le dimanche ou les autres jours fériés. Sébastien avait pris le chandail jaune de Régis pour paraître le mieux possible dans un endroit où il n'était allé qu'une fois pour assister son ami dans son travail.

Sébastien avait organisé tout ça avec la patiente en charge de la buanderie, qui avait été bien gentille de ne pas refuser de leur remettre la lingerie. Il faut dire que quand il lui avait conté que Régis était malade au lit, elle avait dû voir à quel point il était vraiment inquiet et c'est pour ça qu'elle n'avait pas insisté dans ses questions.

Sébastien ralentit le pas vers Agnès: "Penses-tu que Régis est encore en dessous de la terre?

— Ben, y'a personne qui l'a vu sortir que je sache.

— Il mériterait de se perdre dans les souterrains puis de rester là. Comme en enfer, dit froidement Gisèle.

— Non, non, non... C'est *pire* que l'enfer, ça, de pas pouvoir sortir", murmure Sébastien.

Gisèle le toise sévèrement: "As-tu peur?

— T'as pas peur, toi?

— Attends donc que je l'attrape, moi! Ça va lui faire mal, puis ça me fera pas de peine et puis en plus..." Agnès s'interrompt à la vue de soeur Honorine, désagréablement surprise de les voir: "Qu'est-ce que vous faites là, vous autres?"

D'une voix angélique Agnès réplique aussitôt: "C'est pour aider Régis, ma soeur.

— Comment ça? Pourquoi il a besoin d'aide, lui?"

Agnès reste bouche bée un instant, puis répond comme si c'était l'évidence même: "Parce qu'il est très, très occupé."

Elle réfléchit profondément: "Alors, il a trop travaillé hier... Alors, il se repose aujourd'hui.

— Oui", acquiesce Gisèle dans un soupir.

Soeur Honorine les regarde tous les trois sans comprendre. Innocente comme l'agneau qui vient de naître, Gisèle entreprend de l'éclairer: "Ça le fatigue parce qu'il est pas encore très, très grand."

Soeur Honorine demeure interdite. Depuis un moment, le peintre est apparu discrètement à l'écart et prête l'oreille. Il s'avance respectueusement aux côtés de la religieuse: "Excusez-moi, soeur Honorine. Je m'étais permis de solliciter notre jeune ami Régis pour faire une course."

La soeur est visiblement agacée: "Est-ce qu'il a un permis de circuler?

— Eh non! J'aurais dû vous en faire la demande. Pardonnez-moi..."

Il reprend en insistant: "Mais c'est que j'avais besoin de fournitures pour terminer un tableau."

L'arrogance de soeur Honorine se transforme en sourire flatteur et bienveillant: "Ah! bon... Dans ce cas-là!... Vous travaillez sans arrêt. Si vous avez besoin de quoi que ce soit...

— Merci, merci..." D'une inflexion de la tête, le peintre lui exprime une gratitude débordante.

Soeur Honorine mignarde: "Allez, allez, les petits enfants, là..." Puis elle retourne à ses obligations.

Éberlués par l'intercession qui les a tirés de l'impasse, les trois enfants reluquent le peintre. Un sourire ambigu, suivi d'un départ furtif leur sert de réponse. Ils se concertent à voix basse.

"Je pense qu'il sait pas mal de choses, ce barbouilleux-là!" Le sobriquet trouvé par Agnès amuse Sébastien et Gisèle qui le répètent en ricanant.

À quelques pas de là, dissimulé derrière une porte, le peintre les épie et se pique d'étonnement à l'écoute du surnom de Barbouilleux.

Agnès et Sébastien se resserrent autour de Gisèle qui se rembrunit: "Il ferait bien mieux de barbouiller au lieu de se mêler de nos affaires."

Agnès résume l'inévitable: "Ouais! Va falloir lui parler les yeux dans les yeux.

— Facile à dire! Tu lui parleras, toi? rétorque Sébastien.

— Qu'est-ce que tu vas lui dire, hein?" renchérit Gisèle.

Pesant chaque mot, Agnès marmonne: "Il faut le mettre dans le secret... pour qu'il le dise à personne d'autre!"

Sébastien aperçoit Barbouilleux qui vient vers eux en feignant l'insouciance: "Tiens... Dis-lui donc!"

À la vue du peintre, Agnès sursaute en bredouillant: "Monsieur... euh...

— Barbouilleux! Appelle-moi Barbouilleux. Sais-tu pourquoi?"

Son intervention vive et souriante la met d'autant plus mal à l'aise.

"Parce que nous autres, on vous appelle comme ça?

— Non.

— Pourquoi?"

En guise de repartie, Gisèle reçoit un éclat de rire démoniaque "Parce que je barbouille."

Les enfants échangent un coup d'oeil perplexe et le gloussement du peintre se fige. Presque aussitôt, Sébastien casse la glace: "On cherche Régis, monsieur Barbouilleux."

Barbouilleux affecte l'incompréhension.

"Savez-vous où il est?" insiste poliment Agnès.

Le peintre se met en marche en réfléchissant à la manière d'un philosophe: "... Régis?... Où il est?"

Sa voix se pose un moment. Puis il respire profondément: "Où qu'on aille, on marche dans le noir. Où qu'on aille... Destination égale angoisse. Savez-vous ce que c'est l'angoisse? Non."

Il s'immobilise devant une fenêtre. Le regard des enfants suit le sien pas à pas.

"Voyez-vous, là-bas, au bout de la route?... La lueur qui descend du ciel et s'étale sur le sol?" Il s'emporte...: "Vermillon... cramoisi... pourpre..." Le ton s'apaise: "Indigo... gris... Et bientôt, la couleur va s'effacer complètement et le noir descendre sur la nature. C'est ça, l'angoisse."

Sa voix s'étrangle d'émotion: "Excusez-moi!" et il exécute une sortie dramatique vers sa chambre.

Agnès sort de sa stupéfaction: "Il déparle, maudite affaire!

— Complètement!" approuve Gisèle.

Agnès ramasse son énergie: "J'vas lui parler, moi!"

Inspirée par la témérité, suivie à pas fermes de Gisèle et Sébastien, elle se rend chez Barbouilleux, mais au moment de frapper, s'arrête sec. Vivement, Sébastien cogne à sa place et se plante là, prêt à toute éventualité. On entend un grand soupir, puis la porte s'entrebâille. "Oui?

— Monsieur Barbouilleux..."

Arborant un sourire énigmatique, Barbouilleux ouvre tout grand: "Laissez venir à moi les petits enfants, surtout lorsqu'ils sont malheureux ou dans le noir ou bien perdus..."

12

Claustrophobie

Le silence inondait le labyrinthe souterrain. Dans ces moments-là, on disait que ses habitants mystérieux devaient sommeiller mais qu'à la manière des loups, ils guignaient certainement de l'oeil les alentours à intervalles réguliers pour se rendormir aussitôt. On se demandait souvent si, pour eux, il y avait le jour et la nuit. Et puis, on concluait qu'ils étaient bien chanceux de décider pour eux-mêmes quand travailler et puis quand aller se coucher. Il y avait des places où les murs étaient presque lisses, comme polis par la sueur des années. Mais les plafonds, eux, étaient toujours rugueux, probablement parce qu'ils supportaient le poids de toute la vie d'en haut.

Ce jour-là, Barbouilleux était descendu pour la première fois. Ébahi par tout ce qu'il voyait, il pressait le pas, suivi avec peine par Sébastien. Il avait même allumé une deuxième chandelle pour mieux étudier chaque détour, chaque mur, chaque détail. Mais, à leur insu, Régis, dans une immobilité parfaite, les surveillait attentivement. Il avait vu Sébastien, le souffle court, le front perlé de sueur, rejoindre le peintre à pas lents.

Arrivé à un embranchement, Barbouilleux s'arrête, perplexe: "C'est de quel côté la porte de métal?"

Aussitôt, Régis baisse la tête pour disparaître dans la noirceur.

"Par ici...? Ou bien par là?" insiste Barbouilleux.

Sébastien, de peine et de misère, murmure d'une voix faible: "Je le sais pas."

Les yeux de Barbouilleux brillent à la lueur des chandelles. Exalté, il passe la main sur un mur pour en palper la texture: "La surface idéale! La dimension idéale! Sébastien..."

Mais Sébastien reste muet.

"Viens voir, Sébastien. Ici, je vais faire se lever un soleil noir... je vais montrer l'invisible."

Régis s'aventure de quelques pas pour mieux observer: "Maudit senteux!

— Sébastien... Viens voir..." Soudain inquiet: "Sébastien, qu'est-ce qu'il y a?"

Barbouilleux s'approche et voit Sébastien, le dos tout entier appuyé au ciment froid, la tête raidie, penchée en arrière: "Sébastien, qu'est-ce que t'as?"

Sébastien s'écroule lentement le long de la paroi. Étendu par terre, il se met à trembler. Malgré de grands efforts, il n'arrive pas à capter l'oxygène nécessaire. Se sentant impuissant, Barbouilleux s'affole: "Sébastien, fais pas ça! Pas ici, Sébastien! Regarde-moi."

Il le prend par les épaules pour le redresser. Sébastien se débat mollement, sa bouche appelle l'air désespérément, ses yeux expriment la panique. Barbouilleux le secoue avec douceur. Soudain, un faisceau lumineux se braque sur eux. Régis apparaît et, aussitôt, il s'empresse auprès de Sébastien. Il trouve les bons gestes à faire. Il se penche sur lui pour l'aider à se relever et le rassure d'un sourire. Sébastien se sent déjà mieux. Et là, Régis s'adresse durement à l'intrus: "Retournez-vous-en, monsieur Leclerc. C'est pas bon pour vous ici."

Piteux, Barbouilleux ralluma sa chandelle pour repartir d'où il était venu. Régis attendit qu'il soit hors de vue, releva son ami chancelant, qui lui emboîta le pas. Ensuite, il l'emmena dans un petit couloir adjacent que personne ne connaissait.

Puis Régis s'engagea dans une nouvelle bifurcation et, à la surprise de Sébastien, éclaira un bout de mur où le ciment effrité laissait paraître une structure de poutres et de lattes, suffisamment défoncée pour laisser passer un corps humain. Régis franchit le trou, suivi en toute confiance de Sébastien.

Peu de temps après, ils pénétrèrent dans un lieu magique et gigantesque: la voûte d'aération. Un appareil, haut comme un édifice, faisait tourner doucement des pales monumentales. Sébastien était émerveillé. L'air était pur et frais; il respirait mieux. Il y avait bien quelques ouvriers qui travaillaient ici et là, mais leur présence semblait laisser les hommes indifférents. Régis et Sébastien traversèrent en toute sécurité pour aboutir à une petite porte. Régis l'ouvrit sans faire de bruit, s'assura que personne ne les regardait et puis passa de l'autre côté, suivi de Sébastien.

14 *

Serment

Peu à peu les choses s'organisaient. On avait descendu tous les objets essentiels: trois oreillers et deux tabourets empruntés au département privé, une lampe à l'huile subtilisée à la soeur jardinière, des allumettes et des chandelles en quantité industrielle, une cruche pour l'eau avec un verre. Pour les toilettes: une bassine, un seau d'eau, du papier journal et un gros sac brun. Et pour le reste, il y avait l'entrepôt bien garni. En étant bien discret pour ne pas éveiller les soupçons de soeur Hélène, comme Régis avait failli le faire en vidant du ketchup dans les pots de confiture de fraises pour faire le smart, on se préparait à passer de grandes journées dans les souterrains.

---

* *Étant donné qu'un chapitre numéroté entre 12 et 14 ne rajoute rien à une histoire et pourrait même nuire à son déroulement et qu'il en va de même pour une page portant le numéro en question, on les a supprimés.*

Ti-Cul fait sa tournée équipé d'une carabine-jouet et d'une cartouchière en bandoulière. Étudiant ses traits dans un miroir, Gisèle dessine des yeux en amande à sa poupée et l'embellit de sa barrette rouge. Ti-Cul la surprend par derrière avec la pointe de son fusil: "*Yank floung fligna strag flitzou!*" (Il la déclare prisonnière ainsi que son enfant.)

Au bord des larmes, Gisèle l'implore avec des trémolos dans la voix: "Épargnez l'enfant! Tuez-moi, mais épargnez mon enfant."

Mais l'homme au fusil insiste dans sa langue maternelle: "*Schrank!... Schrank Trounk! Ougna, ougna!*"

À proximité, Agnès frotte fièrement "sa sacoche à l'épaule" pour qu'elle brille comme un sou neuf. Françoise, elle, a mis sa pile de romans-photos tout près de l'autel de fortune qu'elle est en train d'installer. Elle recouvre religieusement un tabouret d'un linge blanc puis y dépose un bol à soupe qui tiendra lieu de calice. À ses côtés, Ti-Loup vérifie la solidité d'un crucifix formé de deux morceaux de bois attachés avec une ficelle. Quant à Denis, il explique, avec des grands gestes et des bruits à l'appui, l'atterrissage d'un avion en temps de guerre. Régis n'est pas du tout d'accord avec la manoeuvre suggérée. L'atmosphère est survoltée, fébrile. Tous se sentent chez eux... sauf Sébastien qui est absent.

Agnès s'approche de l'autel, Ti-Loup lui tend le crucifix qu'elle place respectueusement à côtés du calice. Émue, elle prend une profonde respiration, puis s'adresse à la ronde: "Arrivez, là! On va faire le serment."

Son appel ne suscite aucune réaction. Elle élève la voix et marche en agitant les bras comme un berger qui rassemble ses brebis. On l'ignore totalement. Agnès sort de ses gonds: "M'entendez-vous, là? Il faut m'écouter. Je suis pas une soeur, moi!"

Ti-Cul s'empresse de la seconder. Il fait le pitre, marche comme un gardien, avec un oeil sur la crosse de son fusil, guidant les détenus: "Avancez en rang ou bien je tire."

Le brouhaha s'apaise progressivement et on prend place devant l'autel pour la confirmation. Pour donner l'exemple, Agnès s'avance la première et pose la main sur le crucifix que Françoise lui tend, débitant son serment d'une voix monocorde, comme il convient: "Je promets aujourd'hui de respecter solennellement notre tunnel, et de ne jamais bavasser, même au péril de ma vie."

Françoise officie sur le même ton: "Je vous marque du signe de la croix..." Ce qu'elle fait. "... et je vous confirme avec la sainte crème du salut."

Ensemble, elles accomplissent le signe de la croix: *"Au nom du Père et du Fils et du Saint-Esprit."*

Tous entonnent en choeur: *"Ainsi soit-il."*

Cérémonieusement, Françoise applique une bonne gifle sur la joue d'Agnès: "Ayoye!...

— C'est pour te confirmer", dit Françoise en gardant son flegme.

Outrée, Agnès la dévisage: "T'es pas obligée de me confirmer si fort!"

Françoise, guidée par l'efficacité...: "Suivant!"

Une certaine solennité s'était instaurée dans l'assemblée. Les convers se placèrent en rang et, à partir de ce moment, le bruit se limita à des chuchotements. Ti-Cul était en tête de ligne. Mais avant de l'admettre au sacrement, Françoise dut lui retirer fusil et cartouchière, puis lui essuyer un peu de "guidille" sur la lèvre supérieure. Il s'apprêtait à l'état de grâce.

15

La loi du silence

Deux patientes sont occupées à enjoliver une petite cour intérieure de l'institution. Penchées vers le sol, elles raclent avec soin, attentionnées envers la moindre pousse d'herbe et, mine de rien, envers ce qui se passe tout à côté. Quant à Françoise, Sébastien et Ti-Cul, ils se laissent bercer doucement dans une balançoire à deux bancs. Gisèle leur raconte une histoire. Son public tout oreille la pousse à caboter un peu: "... C'était... une espèce de place magique, très mystérieuse, où est-ce que peut-être du monde qu'on connaît pas avait resté là avant! Peut-être qu'ils sont encore là, mais..."

Elle les fixe un à un, énigmatique.

"Mais qu'ils sont tellement petits, qu'ils se cachent.

— Dans les souterrains, ça?"

Gisèle fronce les sourcils vers Sébastien:

"... mais c'est pas tout le monde qui pouvait aller là. Y en a qui..."

Prenant Françoise et Ti-Cul à témoin, elle change brusquement le cours du récit: "Connaissez-vous l'histoire du monsieur qui avait la bouche trop grande?"

Elle louche d'un oeil perçant vers Sébastien: "Elle était tellement grande qu'il avait bien de la misère à la fermer, et puis tout sortait de sa bouche et puis ça faisait bien du dégât."

Se sentant observé par tout le monde, Sébastien baisse les yeux.

"Cette fois-là, ça se passait dans une place secrète, où il y a beaucoup de monde secret, qui font des affaires que personne d'autre sait. Une bonne fois, le monsieur est allé parler à d'autre monde et il leur a dit où était leur maison, et puis leur manger, et puis tout ça."

Françoise saisit mal comment quelqu'un aurait pu faire une chose pareille: "Pourquoi il leur a dit?"

Après une longue réflexion, Gisèle conclut mystérieusement: "Parce que..."

Françoise comprend, impressionnée: "Ah!..." Anxieuse de connaître la suite: "... et puis?"

Pour créer un effet de circonstance, Gisèle freine la balançoire avec ses talons. Une fois immobilisée complètement, elle continue: "Et puis... Bien... Quand ils ont appris ça, ils étaient tellement fâchés contre lui qu'ils l'ont enfermé tout seul dans la noirceur."

Immobile, elle prolonge le silence dramatique, quand soudain, elle articule à voix basse: "Savez-vous où?"

La torture fait son effet sur Sébastien. Il évite nerveusement les yeux en coin posés sur lui.

"... En dessous de la terre... comme un mort!" conclut Gisèle.

Effrayé, Sébastien éclate en sanglots. Dans le moment qui passe, il les implore du regard.

Alarmée, Françoise réfléchit à la fin terrible et se demande si ça se pourrait pas que les gens, en se le racontant, aient mal compris qu'est-ce qui est arrivé, et puis que c'est pour ça que la personne dans l'histoire a une mort si affreuse: "C'est-tu vrai, ça?"

Gisèle, très pensive elle-même, fixe Sébastien une dernière fois, puis règle la question définitivement: "Non. C'est rien qu'une histoire. Mais, ça pourrait arriver."

Sébastien a un soupir de soulagement. La balançoire se remet en mouvement. Rassurées, les patientes retournent à leur gazon.

16

Une rumeur

À toute vitesse, Agnès grimpe un escalier, vire dans un couloir secondaire, freine brusquement devant une porte, cogne à la volée, puis entre aussitôt, passant devant soeur Gertrude stupéfaite d'indignation, pour se jeter toute souriante sur le petit tiroir contenant son cahier de classe. Pour éviter les regards indiscrets, soeur Gertrude referme la porte et pousse le verrou.

"Excusez-moi. Je suis en retard.

— Franchement, Agnès! En coup de vent! Sans prévenir, sans refermer la porte...!

— Ben quoi? Vous faites rien de mal.

— Vous êtes insolente, Agnès. Sortez d'ici tout de suite.

— Excusez-moi, excusez-moi... Je le ferai plus."

Désinvolte, elle feuillette son cahier.

Soeur Gertrude attend de pied ferme; elle n'est pas d'humeur à entamer la leçon. Agnès prend les devants: "Qu'est-ce qu'on fait? ... Lecture? ... Écriture?"

Devant le mutisme de son professeur, Agnès fait osciller son crayon. Tout à coup, elle avise une bible: "Tiens! La Bible!"

Elle l'ouvre à la page d'où émerge un signet. Déroutée, la religieuse esquisse un geste pour l'en empêcher, mais se ravise prudemment. Agnès commence à lire: "*Que tu es belle mon amie, que tu es belle. Tes lèvres sont comme un fil cramoisi, et ta bouche est charmante, derrière ton voile.*"

Le regard de la religieuse s'est empli de malaise.

"*Tu me ravis le coeur par un de tes regards... Que de charmes dans ton amour, ma soeur, ma fiancée...*"

Après un grand effort, soeur Gertrude a le courage de redresser la tête.

"*...Tu es un jardin fermé, ma soeur, ma fiancée... Une source fermée... Une fontaine scellée.*"

Ravie par le passage, Agnès lève les yeux vers la religieuse avec tant d'innocence que celle-ci quitte toute appréhension. Elles échangent un long regard en toute sérénité. Soeur Gertrude ressent une quiétude, un vide apaisant, inhérent au bien-être si rarement atteint. Les visites d'Agnès étaient souvent synonymes de remise en question, comme si jamais rien n'avait existé. Malgré les impasses, elle bouleversait le cours des choses pour décréter à sa façon, avec tant de conviction, ce qui était permis, ce dont les uns avaient besoin de la part des autres. Agnès, se disait son amie, riait avec gentillesse de son autorité et désirait, par elle, tout savoir, tout comprendre, en toute confiance. L'amour pour une enfant qu'on n'a jamais eue, pour une amie si chère qui, sans le savoir, représentait la valeur de vivre, l'espoir.

Quelqu'un frappe. Aussitôt, soeur Gertrude se précipite pour retenir la poignée. "Soeur Gertrude..."

Elle se retourne vers Agnès, mais elle a disparu.

"Soeur Gertrude... Êtes-vous là?"

Refrénant sa nervosité, elle entrouvre la porte sur une religieuse maigre et pincée: "Ah, c'est vous! lui dit-elle faussement surprise. Je vous verrai dans une demi-heure. J'ai un rapport à terminer.

— Très bien."

Soulagée, elle referme à double tour et aussitôt cherche Agnès qui est affalée au fond du placard, secouée par un fou rire incontrôlable. Soeur Gertrude la regarde, perplexe. Au bout d'un moment, Agnès réussit à retenir son hoquet: "C'est bien elle, ça! Elle ouvre toujours les mauvaises portes. L'autre jour, elle avait un bien gros mal de ventre... Elle a couru vite, vite aux toilettes... elle a défoncé la porte..."

Écarlate, Agnès s'étouffe dans un grand rire qui se communique en moins de deux à soeur Gertrude.

"Ça fait que, elle est arrivée face à face avec le curé Ménard, assis sur le bol."

Agnès est crampée tandis que soeur Gertrude tente de se retenir par bienséance.

"...C'est depuis ce temps-là qu'il est constipé."

Du coup, soeur Gertrude et Agnès entonnent un énorme duo de rires sans fin.

17

Le gardien

Le couvent fourmillait de corridors très achalandés. Aux croisées importantes, un gardien veillait avec une attention plus ou moins diligente. Même au pas de course, les religieuses échangeaient une oeillade au passage comme quoi tout roulait normalement. Certains patients les fuyaient comme la peste, d'autres les sollicitaient pour mille renseignements sur la température, les changements de locaux, les permissions, la direction à prendre pour aller à toutes sortes d'endroits ou simplement pour jaser de tout et de rien. Mais il y en avait qui n'avaient pas les yeux dans leur poche.

Denis surgit d'un coude de couloir avec une chaudière pleine de papier journal et deux oreillers. En apercevant le planton, il ralentit, songe à rebrousser chemin mais décide finalement d'attendre que le pion louche ailleurs. Hélas! son intérêt est fixé sur Denis tandis qu'il se fige sur place: "Aie le jeune... Qu'est-ce que tu fais là?"

Denis marmonne d'une voix blanche:"J'étais venu pour... Je voulais juste... Euh...

— Permis de circuler!

— ... Euh. Je l'ai oublié.

— Va le chercher!"

Denis obtempère sans mot dire. Aussitôt Ti-Loup survient, poussant une brouette dans laquelle il y a trois lampes à l'huile, des bouteilles de carburant, une pile de boîtes de chandelles, une terrine pleine de pommes et deux pains. Il se dirige directement vers l'officier avec un grand sourire et beaucoup d'assurance: "Bonjour monsieur! À l'entrepôt B3, au sous-sol."

Un doute effleure le gardien, mais le regard de Ti-Loup est d'une innocence incontestable.

"C'est correct."

D'un geste officiel, il lui fait signe de passer. Et là, au lieu de s'exécuter, Ti-Loup lui demande de bien vouloir se pencher pour lui parler dans l'oreille: "Vous auriez pas une cigarette?"

Vexé, le gardien se cabre: "Va, va...! P'tit morveux!"

Ti-Loup repart allègrement, puis se retourne brièvement pour dévisager Denis, fou de rage. Ravi, il reprend son chemin.

18

Les bagages de Barbouilleux

Barbouilleux était en plein nettoyage et sa chambre, dans un fouillis indescriptible, regorgeait de toutes sortes de matériaux. Depuis son retour, il y avait un peu plus de deux ans, il avait beaucoup peint et peu à peu son lieu s'était transformé en véritable atelier. Au début, la soeur Joseph-Albert demandait régulièrement qu'on vienne y mettre un peu d'ordre. Mais, après quelques semaines, les religieuses s'étaient rendu compte que ça ne faisait que l'entraver dans sa production et c'est pour ça que Barbouilleux était le seul au couvent à avoir le droit de passer outre le ménage quotidien.

Pour l'instant, il range minutieusement dans une petite valise une série de tubes, de pinceaux et de spatules par-dessus lesquels il rabat une palette. Tout à côté, il dépose un chevalet et un tabouret portatifs. Il s'assure ensuite que personne ne rôde autour de sa chambre, puis se retire dans un coin de la pièce. Avec le manche d'une cuillère, il décolle l'extrémité d'une plinthe derrière laquelle est cachée une petite bourse en cuir dont il vérifie le contenu: quelques billets de banque et un passeport périmé qu'il s'empresse de feuilleter; les pages sont vierges et la photo, c'est lui, mais à peine reconnaissable. En un tournemain, il replace la plinthe, puis, hâtivement, empoche la bourse et ramasse tout son barda.

Avant de s'éclipser, il se cambre vers la fenêtre, y plonge les yeux puis, avec pompe et allégresse:

"Adieu Lumière."

Le pas heureux, Barbouilleux s'avance dans le grand corridor central, sous l'oeil redoutable du gardien. Arrivé à ses côtés, Barbouilleux prend le parti de sourire bêtement, ce qui rend l'officier encore plus crispé: "Votre permis, pis vite!"

À ce moment, soeur Joseph-Albert surgit d'on ne sait trop où puisqu'elle était partout à la fois même où c'était vraiment pas nécessaire, et aussitôt, Barbouilleux regarde humblement la sortie tant convoitée.

À la vue du peintre chargé d'outils essentiels à la bonne productivité, elle se répand en minauderies: "Bonjour monsieur Leclerc. Comment ça va le travail? C'est pour bientôt cette exposition? Allez-vous enfin nous faire des beaux paysages...?"

Puis, suppliante: "Où on reconnaîtrait un petit peu la belle nature du Bon Dieu?

— Malheureusement, je ne suis pas maître de mon inspiration." Il poursuit dans un élan emphatique: "Aujourd'hui, je veux aller au fond des choses", puis il désigne devant lui un vaste trou imaginaire.

Dans un soupir de désappointement, soeur Joseph-Albert indique au garde de le laisser passer.

19

Le mensonge

Ce qu'il y avait de spécial dans les souterrains, c'est qu'on pouvait courir et crier tant qu'on voulait et surtout c'était tellement vaste que les havres de tranquillité se trouvaient partout, à la portée de la personne qui le désirait. Il y avait des jours où Agnès était très absorbée dans ses pensées. Cette fois-là, elle arpentait calmement un des tunnels souterrains. L'atmosphère était survoltée et elle décida soudain d'une assemblée plénière: "Là, on va arrêter de parler tout le monde ensemble."

Le bruit et l'agitation diminuent. "Je vais commencer, puis quand j'aurai fini, s'il y en a qui veulent dire de quoi, ils le diront, mais *après* que j'aurai parlé."

On s'écrase un peu partout en silence sauf Agnès qui s'apprête à bien appuyer son discours: "À part ça, on est rentré ici comme des *fous*! On n'est pas des fous, *nous autres*. La loi, ça va être de descendre ici un par un. Tranquillement, en silence, comme des gens cilivi... vicili... comme du *monde*! À part ça, il faut pas que *tout* le monde soit ici *tout* le temps, comme un *troupeau* de moutons. Il *faut* faire son temps en haut. On fait notre ouvrage, puis quand notre ouvrage est *fini*, on descend en bas, mais pas avant! Et puis, quand la moitié de nous autres est en bas, il faut que l'autre moitié reste en haut... Qu'est-ce que je viens de dire, Gisèle?"

Gisèle sort de sa rêverie: "Je l'sais pas."

Ti-Cul, assis à côté de Gisèle, intervient en la montrant du doigt: "T'as dit que quand elle, elle descend, moi je reste en haut."

Gisèle réagit vivement: "C'est pas vrai! Si lui reste en haut, moi, je descends pas toute seule en bas!"

Il y a un léger remous dans l'auditoire. Certains épaulent Gisèle, d'autres Agnès qui, d'un geste, impose un silence relatif, puis emprunte une attitude professorale: "Le couvent, ici, il est bien grand à nettoyer. Y a bien du monde à s'occuper. Il faut aller dans beaucoup d'unités." Elle s'enveloppe d'un air de sainte nitouche zélée. "Et puis, comme on veut bien faire notre ouvrage, on n'a pas le temps de penser à d'autre chose." Petit sourire en coin. "Ça fait que si une soeur nous demande où se trouve Denis... ou bien Gisèle... ou bien n'importe qui... on leur répond, en gardant bien les yeux sur notre ouvrage, que la personne est allée leur z'aider quelque part, à l'autre bout de la bâtisse, qu'elle va revenir aussitôt que possible, mais dans le moment, elle a pas le choix parce que, là-bas, ils sont bien trop mal pris."

Elle ricane vers Ti-Loup qui adopte le stratagème en se tortillant de plaisir: "Ouais, ouais, ouais..."

D'emblée, tout le monde acquiesce.

Françoise se redresse en gesticulant: "Mettons que la soeur me demande à moi: "Où est Denis?" Là, je refléchis fort, fort dans ma tête, puis je lui dis: "Qu'est-ce que vous avez dit, ma soeur...?"

Gloussements chez les spectateurs.

"Ça fait que là, elle se fâche un peu... Alors, je tiens ma tête penchée comme ça... et puis... euh..."

Profitant de l'hésitation de Françoise, Ti-Loup l'assaille par derrière en hurlant contre sa nuque: "Allez me la chercher tout de suite!"

Son cri lui a fait si peur qu'elle lève de terre, puis retombe accroupie aux pieds de Ti-Loup, secouée par un rire irrépressible: "J'peux pas, ma soeur, J'ai fait dans mes culottes."

D'un coup, tout le monde s'esclaffe. Mais soudain, le visage d'Agnès, puis celui des autres, s'immobilise. Barbouilleux, ses bagages à la main, vient d'arriver, un sourire magnanime aux lèvres. Agnès l'accueille avec une certaine solennité: "Allô Barbouilleux."

Aux heures d'éveil, Barbouilleux habitait le labyrinthe pour y peindre frénétiquement. Tout le monde y avait pris goût et, peu à peu, les murs souterrains se transformaient en fresques multicolores. Souvent, Barbouilleux commençait par la partie supérieure de la paroi. Il disait que c'était mieux ainsi. Autour de lui, on ébauchait cérémonieusement. Après quelques coups de pinceau, on reculait, l'oeil fixé sur l'immense tableau, puis on revenait promptement vers la surface à peindre, avec une vision plus précise des choses. C'est ainsi qu'il fallait faire puisque c'est ainsi que faisait Barbouilleux. Les styles des murales étaient plutôt éclectiques: réaliste, naïf, abstrait...

Sur un tout petit bout de mur, Françoise, avec minutie, trace le portrait de Ti-Loup qui pose pour elle. Pendant qu'elle a le dos tourné, il bouge astucieusement ses articulations engourdies puis se replace à peu près n'importe comment. En se retournant, Françoise remarque quelque chose de bizarre, examine Ti-Loup, revient à son croquis, puis, remâchant son impatience, elle va le replacer, un membre après l'autre dans la position des quelques lignes de son portrait qui, une fois terminé, devra être l'image identique du modèle. Pour sa part, Barbouilleux observe Régis et la colère lui monte au nez: "Utilise pas le fauve. C'est pas bon pour une fresque!"

Dans un marmonnement, Régis l'expédie: "Ah! Barbouilleux!"

Celui-ci s'approche avec douceur: "Prends le jaune..." Soudain énervé: "...sinon, ça va être un désastre!

— Moi ma couleur préférée, c'est de toutes les mélanger." Gisèle trempe son pinceau dans tous les pots, admire le résultat puis, satisfaite, retourne à son travail.

Prenant bien soin de garder son attitude, Ti-Loup lui lance froidement: "Barbouilleux, si t'aimes pas qu'on mette du *fauve* sur *nos* murs, tu peux toujours aller mettre *ton* jaune sur *tes* murs, en haut! O.K.?"

Pour la xième fois, Françoise retrace le même détail. Le portrait est maintenant éclaboussé de toute part: "Barbouilleux, je sais pas comment faire les yeux.

— Un oeil, c'est un rond dans un ovale."

Françoise ne comprend pas vraiment l'explication. Elle réfléchit tout de même quelques instants...: "C'est ça que j'ai fait. Mais les yeux de mon dessin, ils me regardent pas comme les yeux de Ti-Loup."

Aussitôt Barbouilleux règle le cas et, en deux coups de pinceau, exécute deux yeux très convaincants.

"Ah! merci Barbouilleux. Pourrais-tu me faire la bouche?

— Si je fais ça, Françoise, ce sera plus ton tableau. La seule manière de peindre, c'est de regarder. Regarde ton modèle très fort et le tableau va se faire tout seul."

Ravie du conseil, Françoise se penche sur Ti-Loup et le scrute intensément.

"Arrête de me regarder d'même! Ça m'étourdit."

En se détournant, il lui vient une idée qu'il savoure déjà: "Barbouilleux, peux-tu dessiner soeur Joseph-Albert?"

Au travers des rires, Agnès s'exclame: "Oui, oui, puis oublie pas sa dent cariée pis son grand poil noir.

— Plutôt que de faire ça, j'aimerais mieux arracher tous les poils de mon pinceau", déclare Barbouilleux.

Épatés du commentaire, tous s'esclaffent. Mais Barbouilleux s'est remis, avec une concentration accrue, à l'ébauche de la dame bigarrée, drapée de lueurs magiques, qui semble flotter dans l'air. Avec des gestes harmonieux, il prolonge le tracé de son corps. Tous sont figés d'admiration, particulièrement Denis qui la trouve très belle: "C'est qui, cette femme-là?

— La connais-tu?" Gisèle se recule pour mieux la deviner.

"Oui et non, je l'ai inventée. Mais je l'ai jamais vue. Pour la connaître, il faut attendre que le tableau soit terminé." Ce qui désappointe Ti-Cul...: "Ah, ça va prendre du temps! Tu dois avoir hâte.

— Je la vois pas encore très bien, mais des fois, je lui parle dans ma tête."

Françoise échafaude, comme dans les photoromans: "Est-ce qu'elle te répond?"

Barbouilleux assombrit les contours de la dame: "De temps en temps... dans mes rêves... Mais elle change souvent. Alors, je suis jamais très sûr."

Se collant à Barbouilleux, Gisèle murmure pour ne pas trop le déranger: "Qu'est-ce qu'elle te dit?"

Barbouilleux continue à peindre en silence. De son côté, Ti-Loup est convaincu qu'elle existe vraiment: "J'aimerais ça la voir.

— C'est difficile, C'est une femme de *l'extérieur.*"

Gisèle la contemple, émerveillée: "Ah! C'est pour ça qu'elle est si belle.

— Des femmes comme elle, je pense que vous en avez pas vues beaucoup, vous autres. C'est pas une femme en noir. C'est pas une femme en blanc. C'est une femme en couleurs, sans capine!"

Les enfants gloussent de joie. Denis emprunte un air innocent: "Ça existe, ça?

— Ben oui! Y en a plein dehors.

— Oui, oui, oui... Des belles femmes...! Avec des belles robes!"

Gisèle et Françoise en sont convaincues, tandis qu'Agnès boude depuis un moment: "C'est même pas vrai.

— Comment ça? intervient Gisèle.

— Je l'sais.

— T'es même jamais sortie, rétorque Régis.

— De toute façon, ça m'intéresse pas!"

Agnès s'est réfugiée à l'écart. Pour assouvir sa colère, elle trace sur le mur une série de traits violents avec des gestes saccadés.

Les autres se sont remis à la fresque, aussi intensément que Barbouilleux.

Inquiet, Denis rejoint Agnès au bord des larmes. "Qu'est-ce que t'as?"

Bouleversée, ayant peine à parler, Agnès se ressaisit, le temps de marmonner: "Barbouilleux, c'est rien qu'un fou."

Françoise a repris son pinceau, Ti-Loup, sa pose. "Bouge plus, Ti-Loup! Faut que je te fasse aussi beau que je te vois."

20

Ma berçante

Comme il étouffait sous la terre, Sébastien ne pouvait plus du tout faire partie du monde d'en bas. En haut, dans le couvent, il accomplissait de petits travaux au besoin, mais le fait qu'il était émotif et aussi de santé fragile l'excluait d'un emploi durable, avec un horaire précis à suivre. À la longue, dans la salle où il était consigné, le désoeuvrement lui pesait.

Une vingtaine de jeunes se bercent chacun à son rythme, plusieurs furieusement. Sébastien repère une chaise vacante, mais un autre garçon intervient et la lui vole. Irrité, il l'accoste ferme: "C'est ma chaise."

Simon se balance nonchalamment, le regard impassible, comme si Sébastien était transparent. De son côté, Sébastien reste planté là, les dents serrées: "As-tu déjà grimpé un mur en chaise berçante?

— Ma chaise est pas écrite à ton nom."

D'un bond, Sébastien s'agrippe au siège et lui fait faire un trois cent soixante degrés. Il se jette ensuite sur Simon à grands coups de poing. Les chaises oscillent à grande vitesse et les yeux des autres sont rivés sur les deux batailleurs en furie. Soeur Julienne quitte sa garde en courant pour bientôt revenir avec deux préposés; ils saisissent les deux agresseurs et les emmènent chacun à une extrémité de la salle pour leur attacher un pied à une lanière de cuir fixée au mur. Comme ça, ils ne pourront plus faire de trouble. Puis soeur Julienne s'installe au piano pour jouer une mélodie apaisante.

Peu à peu les berceuses s'ajustent au ralenti musical.

21

Photoroman

Quelquefois il y avait une razzia sur le territoire de soeur Hélène. Son entrepôt se dégarnissait de quelques boîtes de conserves, bien choisies pour le goût et pour que ça ne paraisse pas, ainsi que de quelques carottes et de quelques pommes et, pour dessert, des carrés de sucre, réservés en principe au département privé. Après ça, plus souvent qu'autrement, c'était la sieste ou encore ne rien faire de spécial. Dans ces moments-là, l'ambiance quiète inhérente au labyrinthe donnait à ses nouveaux habitants le sentiment d'adhérer au silence.

Ti-Loup est étendu sur les genoux de Françoise, tout alangui par la main tendre qui lisse ses cheveux. "... Et puis peut-être que j'vas aller à la guerre.

— T'es bien trop petit.

— Ah non! Je suis capable... l'an prochain peut-être. Même que si je deviens un soldat, ils vont me dire de voyager très loin... en avion même!

— Ils vont envoyer les hommes qui sont grands pour commencer, et puis quand tu seras grand, peut-être que la guerre sera finie."

Ti-Loup est convaincu qu'il grandira assez vite pour participer à la guerre. De toute façon, il leur sera sûrement utile pour faire de petits travaux, pour apprendre d'avance ce qu'il faut faire, comment déjouer l'ennemi... pour être fin prêt quand viendra le temps. Y paraît qu'il y a bien de l'ouvrage, bien des blessés, puis aussi des morts. Avec tout ça à s'occuper, peut-être qu'ils le prendraient au moins sur un bateau pour commencer; convaincu qu'après tout, ils vont pouvoir compter sur lui jusqu'à la fin, vu qu'il ne s'ennuiera pas d'une famille laissée derrière. Puis une fois la guerre terminée, là... Les pensées de Ti-Loup s'embrument. Il voit sa mère qui s'enfuit en pleurant. Elle veut crier mais aucun son ne sort d'elle. Soudain, elle est penchée sur lui, s'apprête à le prendre dans ses bras mais au dernier moment elle recule en chantant d'une voix douce et éteinte... puis plus rien.

"T'es mieux de rester ici. Là-bas, c'est trop dangereux, t'es pas bien ici?"

Françoise s'inquiète de son départ. Elle continue à le coiffer tristement: "Je te fais des belles coches... P'tit bébé gâté."

Mal à l'aise, ti-Loup essaie de se dégager. Elle l'enserre gentiment: "Reste là. J'ai pas fini."

Intimidé, il ébouriffe ses cheveux en se redressant: "Qu'est-ce qu'ils font les autres?

— Je le sais pas... Ah! regarde, j'ai un nouveau photo-roman!"

L'intérêt de Ti-Loup renaît. Françoise lui montre l'image d'un homme et d'une femme au regard courroucé. Ils l'étudient en silence, leurs têtes se touchant presque. Françoise semble très perplexe. "Elle a pas l'air bien contente.

— Lui non plus.

— Ils avaient l'air si contents sur la page d'avant."

Ils tournent la page pour vérifier. Les amoureux s'étreignent passionnément. "Ben oui", dit Ti-Loup. Puis il revient à la photo du couple brouillé: "Je me demande pourquoi."

Dans l'espoir d'éclaircir la situation, ils vont trouver Agnès, absorbée elle-même dans les méandres amoureux de son photoroman. Françoise lui tend sa revue: "Agnès, pourquoi ils sont fâchés?

— Tu vois pas que je lis?

— Ah! oui."

Ils s'accroupissent à ses côtés, silencieux et soumis dans l'attente. "Restez pas là! Ça me dérange."

Suppliante, Françoise lui pointe du doigt les amants malheureux: "Est-ce que c'est grave ou bien c'est juste une chicane?"

À contrecoeur, Agnès prend la revue: "Bon! C'est la femme qui parle. Elle dit: *Tu es injuste avec moi...*"

— Pourquoi? s'inquiète Françoise.

— Ben laisse-moi finir! "...*Ne suis-je pas la victime de sombres* calmonies?" Là l'homme..."

Ti-Loup l'interrompt: "Qu'est-ce que ça veut dire?

— Voulez-vous que je lise, oui ou non?"

Françoise s'empresse, conciliante...: "C'est correct... c'est correct..."

Agnès se remet à la lecture, en indiquant du bout du doigt les descriptions, les dialogues et aussi les pensées intérieures des protagonistes: "Là l'homme lui répond: *Ta cruauté sans bornes jette une ombre douloureuse sur le chemin que nous nous sommes tracé.*"

Fatiguée de lire pour eux, Agnès s'apprête à leur rendre la revue quand elle avise Denis et Régis. Ce public nouveau et anxieux l'incite à continuer: "La femme dit à l'homme: "*Essaie de me comprendre. Je dois aller au fond de moi-même... me retrouver...*" L'homme lui répond: "*Oui, mais vas-tu me revenir?*" "Alors, là, elle pense dans sa tête: "*Pourquoi me torture-t-il ainsi?*"

Agnès jette un coup d'oeil autour d'elle. Gisèle et Ti-Cul sont penchés au-dessus de son épaule de façon à ne rien manquer des images ainsi que des expressions dramatiques de la lectrice. Elle repart de plus belle: "Elle lui dit: "*Mon destin me pousse vers d'autres horizons. Mais qui sait...? Un jour, peut-être, nos destins se croiseront encore une fois.*"

Émue, Agnès désigne la dame: "Regardez, elle a une larme." "*...Il n'en peut plus. Il veut pour la première fois lui exprimer son amour. Mais est-il encore temps? Elle ne veut plus rien entendre.*"

Agnès prend un grand respir...! "La femme: "*Non! Ne dis plus rien. C'est mieux ainsi... Tu pleures...? C'est la première fois que...*" "Alors le monsieur lui répond..."

Agnès ne peut plus cacher son émotion; les larmes lui montent aux yeux et coulent doucement sur son visage. Ti-Cul, Gisèle et Françoise reniflent de tristesse tandis que Denis, Ti-Loup et Régis restent cois, les yeux baissés. Après un long moment, Agnès arrive à continuer: "... Alors le monsieur pleure, puis il lui dit: "*Maintenant que tu as compris ce que je ressens, c'est à toi de décider.*"

Atterrée, Agnès parle tout bas...: "Il s'en va."

La lectrice doit s'incliner devant la fatalité: "Regardez: elle est restée toute seule."

Agnès a le regard fixé sur cette fin de page. Françoise ne veut pas accepter ce départ sans retour: "Ça finit comme ça?
— Attends!"

Agnès tourne la page et reprend la lecture en parlant comme l'héroïne du roman: "*Je le prenais pour un homme dur, pour un homme froid. Mais il a pleuré pour moi... comme un enfant.*"

Agnès pointe l'encadré où se joue le destin du couple brisé: *"Peut-être n'a-t-elle pas raté sa chance. Il se tourne vers elle, le visage mouillé de larmes: le dernier message d'espoir de deux coeurs qui se cherchent."*

L'assemblée est plongée dans un silence ému, aussitôt troublé par la voix impertinente de Régis qui simule en chantant la passion amoureuse: *"Sur mon chemin, j'ai rencontré celle que j'aime...*

— Niaiseux", lui lance Agnès en s'éloignant.

Régis accourt vers elle à quatre pattes pour lui faire sa déclaration: "Toi, t'es belle, ma chouette, avec tes cheveux bruns, pis tes p'tites jambes toutes pressées de s'en aller de moi. Je te...

— T'es pas drôle!" rétorque Agnès.

Mais en le voyant à ses pieds, l'implorant, les deux yeux crochis vers le nez, elle se met à rire. Régis roucoule toujours: *"Celle que j'aime comme un fou, eh bien, c'est vous!"*

Ces ébats amoureux excitent Ti-Cul qui s'esclaffe à son tour. Attisé, Régis va vers lui avec des gestes passionnés: "Ah! mon amour, viens dans mes bras. M'entends-tu...?"

Il se jette sur Ti-Cul en hurlant: "Ah! mon amour, tu es dans mes bras."

Mort de rire, Ti-Cul réussit quand même à se défaire de l'étreinte.

"Ah! mon amour, tu n'es plus dans mes bras." Régis le rattrape et le plaque au plancher. Ti-Cul, entre deux hoquets: "Ayoye, mon amour! Tu m'étouffes."

Pour sa part, Agnès a entraîné Denis dans une valse qu'elle fredonne. Françoise invite Ti-Loup à son tour; Gisèle tourbillonne avec sa poupée tandis que Régis et Ti-Cul dansent en imitant deux amoureux, les yeux dans la graisse de binnes.

Au bout d'un moment, la fatigue se fait sentir, les danseurs arrêtent leurs pas, à bout de souffle. Dans le silence de la nuit, se glisse une petite voix, celle de la poupée de Gisèle: "J'ai faim.

— Moi aussi." Dans un bâillement profond, Ti-Cul ouvre la marche vers le couvent.

À la vue d'Agnès et de Denis assis côte à côte en silence, Régis, tout chevrotant à l'arrière du peloton, leur adresse, en guise d'adieu, des grimaces moqueuses en papillotant des yeux et en se léchant les babines: "Mon amour, mon amour..."

22

Questions gênantes

Exténués et assouvis par la journée, on mangea lentement ce soir-là, dans le calme. Soudain Régis se crispa sur sa chaise et essaya en toute innocence d'éviter le regard de soeur Joseph-Albert qui inspectait les lieux, assistée de soeur Julienne. Au moment où les yeux de la religieuse se portaient sur lui, Régis se détourna furtivement et plongea le nez dans sa soupe. Suivant son flair, soeur Joseph-Albert vint directement lui tapoter l'épaule: "Régis, savez-vous où est Agnès?"

Régis sort des limbes: "Agnès?

— Répondez à ma question.

— Je le sais pas, ma soeur."

Elle n'en croit rien. À côté de Régis, Gisèle hausse les épaules à la face de la soeur, en signe de regret. Aux autres extrémités, la patiente de service et soeur Julienne posent avec conviction la même question, qui reçoit en écho la même réponse. Soeur Joseph-Albert se plante bien en vue de tout le monde pour demander d'une voix garnie et officielle: "Y a-t-il quelqu'un ici qui saurait où se trouvent Agnès Laberge et Denis Tremblay?"

Un silence absolu répond à sa question.

Dans les entrailles des profondeurs, une lampe à l'huile projette sur le mur deux ombres, main dans la main et immobiles. Assis par terre dos au mur, Agnès et Denis semblent presque bien sur leurs oreillers. Avec incertitude, Agnès regarde au loin tandis que Denis pousse un soupir douloureux: "Si on le veut tellement... *pourquoi* on peut pas le faire?

— Parce que ça fait des enfants."

Après un moment de réflexion, une lueur éclaire le visage d'Agnès: "On peut pas tout faire.. mais y a des choses qu'on peut."

D'un geste vacillant, elle dirige la main de Denis sur son sein. Il fond de bonheur, sa tête retombe doucement sur l'épaule d'Agnès qui ne bronche pas. S'ensuit un long instant que Denis espère perdu dans le temps.

"Pas trop, quand même." Elle lui redonne sa main.

"Mais pourquoi?"

Denis comprend mal la réaction d'Agnès, sa supposée peur d'avoir des enfants. Il pense que dans le fond, elle craint de ne pas pouvoir arrêter à temps, mais lui en a vu dans le couvent qui ont été capables en tant qu'hommes, qui lui ont dit en tout cas de se retenir. D'autres femmes, c'est bien vrai, se sont vues engrossées puis là, les soeurs les ont traitées comme des Marie-Madeleine, à cause du péché. Il réfléchit à quel point ça fait longtemps qu'il rêve d'une femme, de l'embrasser, puis d'être serré en elle. Peut-être qu'Agnès est pas comme ça, peut-être qu'elle est sans désir pour un homme.

Y en a qui disent que les femmes c'est pas pareil, que le goût leur vient après la première fois, qu'avant ça, elles y pensent pas comme nous autres... En la forçant un peu, ça se pourrait qu'elle finisse par vouloir, puis aimer ça autant que lui. Et puis non, il vaut mieux attendre p'tit peu par p'tit peu... L'apaisement de Denis se transforme en une bousculade de questions qui l'agressent malgré lui. Pourquoi Agnès lui a demandé de rester, puis de passer la nuit "en bas"? Pourquoi sa tendresse s'est retranchée d'un coup dans le refus? Pourquoi elle ne lui dit pas la vraie raison? Pourquoi, c'est si compliqué d'être bien, juste bien?

"À cause du Christi de Bon Dieu, j'suppose!?" Il a laissé échapper sa dernière question à voix haute.

Agnès hausse les épaules: "Le Bon Dieu... y est tout mélangé."

Dans un dortoir du couvent, une vingtaine de garçons dorment dans des petits lits serrés les uns contre les autres. Les stores baissés cherchent à baigner la pièce dans une noirceur opaque mais une toile défectueuse laisse filtrer un rayon de lune. Ti-Loup veille depuis longtemps, le regard fixé sur la cellule de la soeur tourière.

Les rondes de soeur Lucienne étaient irrégulières et imprévisibles. Même si le dortoir était plongé dans la tranquillité, ça ne l'empêchait pas de venir zieuter, lit par lit. Elle était très myope et parfois elle trébuchait dans ses propres pas puis agrippait ses deux cents livres à n'importe quoi pour repartir à cloche-pied. Une nuit, ça lui arriva et elle reprit équilibre après la jambe d'un garçon qui s'appelait Léo et quand lui se réveilla en criant, soeur Sainte-Lucienne hurla si fort que, pendant que les autres riaient, Ti-Loup lui demanda si elle voulait qu'on allume la lumière pour qu'elle retrouve son chemin. Elle lui répondit qu'il ferait bien mieux de dormir bien dur s'il ne voulait pas être consigné au lavage de vaisselle pour le reste de l'année. Puis elle releva son imposante stature, et du coup, un silence inébranlable envahit le dortoir.

Le moment est venu. Ti-Loup dresse la tête avec précaution vers Régis et Ti-Cul. Sans faire de bruit, il sort de son lit tout habillé, enfile ses chaussures, prend une lampe de poche sous son matelas, puis quitte les lieux en faisant un signe de la main à ses complices, comme un commando en mission spéciale.

Ti-Loup s'avance à pas rapides dans un corridor souterrain aux murs couverts d'une longue fresque d'animaux stylisés chargeant dans une course effrénée. Un peu plus loin, des bêtes multiformes, munies d'ailes aéronautiques, atterrissent à proximité d'un dortoir vétérinaire où des bonshommes aux couleurs voyantes les attendent avec des lits et des médicaments. Ti-Loup bifurque dans le tunnel de la dame en couleurs et repère enfin Agnès et Denis, allongés par terre, au pied de leur petit autel, le visage tourné vers le ciel comme des gisants de cathédrale. Ti-Loup contemple un instant leurs mains enlacées puis secoue doucement Agnès. Désorientée, elle murmure dans un demi-sommeil: "Il faut que Barbouilleux efface les deux coeurs qui se cherchent."
Ti-Loup la touche délicatement pour la sortir de son rêve: "Agnès, réveille-toi. Il faut que je te parle.
— Quelle heure il est?"
Elle se penche vers Denis et le réveille avec affection. Puis fixant Ti-Loup: "Qu'est-ce qui se passe?"
Denis ouvre les yeux en bougonnant: "Qu'est-ce que tu veux, toi?
— Ça chauffe en haut. La Joseph-Albert nous pose des questions.
— Quelles questions?" bâille Agnès.

La patience de Ti-Loup s'effrite: "Elle nous interroge: "Où est Agnès...? Où est Denis...?""

La voix d'Agnès se raffermit: "Entends-tu ça?

— Pis, après?" Denis s'étire de toute sa longueur vers Ti-Loup qui s'énerve à petites doses. Agnès se dirige vers la cruche d'eau, y boit à grandes lampées, s'en verse un peu dans une main et se débarbouille tranquillement devant Ti-Loup qui piétine sur place.

"Ça presse! Qu'est-ce qu'on fait?"

Denis intervient sèchement: "Elle sait même pas qu'on est ici.

— C'est pas sûr!" réfute Ti-Loup.

Denis disparaît dans la noirceur vers le petit coin. Furieux, Ti-Loup le suit du regard en marmonnant: "Imbécile!

— Qu'est-ce que t'as contre lui?

— J'y aime pas la face."

Du coup, les yeux d'Agnès s'aiguisent: "C'est pas de sa faute. Qu'est-ce qu'il peut faire?

— Qu'il change de face!"

Denis réapparaît en souriant: "Est correcte ma face. C'est la tienne qui a l'air d'un cul."

Exaspéré, Ti-Loup enchaîne: "Les soeurs se sont aperçues que t'étais pas là, Agnès. Et puis Denis non plus. C'est très dangereux!"

Elle s'enquiert innocemment: "Alors, qu'est-ce que vous avez dit?

— Rien. Personne a rien dit.

— Et puis tous les mensonges qu'on avait pratiqués...! Vous avez pas pensé à ça?"

La voix de Ti-Loup s'insinue entre ses dents: "On a pensé plus que tu penses."

Depuis un moment, Denis est en pleine réflexion: "Ce qu'il faudrait faire..."

Implacable, Ti-Loup rétorque: "Ferme ta gueule. *Moi*, j'vas vous l'dire ce qu'il faut faire. On a pris des décisions et vous allez les suivre."

Agnès et Denis n'ont d'autre choix que d'écouter les instructions.

23

Dénonciation

Il était extrêmement rare que les pensionnaires aient l'opportunité de visiter le bureau de la soeur directrice. L'endroit lui-même n'avait rien de spécial, mais l'atmosphère, elle, était plutôt crispée puisque l'unique occasion d'entrer chez soeur Béatrice était pour la réprimande en règle. Cette fois-là, entourée de soeur Joseph-Albert, de trois policiers non armés et de soeur Gertrude discrètement à l'écart, elle dirigeait une enquête qui n'en finissait plus, ce qui la rendait de fort mauvaise humeur. Les inculpés étaient: Françoise, Ti-Loup, Gisèle et deux autres garçons, Marcel et Pierre, qui ne saisissaient pas très bien le pourquoi de leur présence. Soeur Béatrice avait pris Ti-Loup en main, bien décidée à obtenir un résultat concluant. De son côté, il était frais et alerte comme une rose.

"Alors, monsieur Thibault... Je vous pose la question pour la dixième fois: Avez-vous vu Agnès quitter nos murs?

— Non, ma soeur.

— Est-ce qu'Agnès vous a déjà parlé de se sauver?

— Non, ma soeur.

— Alors... ? Qu'est-ce que vous m'avez raconté tout à l'heure?

— Je pensais qu'elle était peut-être sortie par la porte numéro quatre... Plutôt que la porte numéro six.

— Ah bon! Pourquoi?

— Parce que sur la porte numéro quatre, y a juste un verrou."

Étonnée, soeur Béatrice consulte les policiers qui aussitôt délibèrent à voix basse. Le sergent Dubois réfute en toute évidence: "C'est faux, ma soeur. La porte numéro quatre a *deux* verrous. Comme les autres."

Soeur Béatrice dévisage durement l'incriminé. Ti-Loup est tout à fait confus de son argument boiteux: "Excusez-moi. Je pensais..."

La soeur est sur le point de sortir de ses gonds: "Monsieur Thibault, vous commencez à me tomber sur les nerfs... et vous autres aussi. On va passer aux punitions."

À court d'explications, Ti-Loup se tourne vers Françoise qui le rassure du regard pour aussitôt lancer un petit clin d'oeil à Gisèle, tendue comme une barre, qui bravement lui renvoie un sourire. Dans son coin, soeur Gertrude se fait du mauvais sang. Quant à soeur Béatrice, elle devient terrifiante: "Alors, si je comprends bien, vous avez tous envie d'aller coucher dans une cellule ce soir?"

Complètement dépassé par les événements, le jeune Marcel laisse échapper un gémissement. Immédiatement, Ti-Loup pivote vers lui avec un grognement accusateur: "Hon... on!"

Tous les regards convergent vers Marcel qui baisse la tête pour pleurer amèrement. Soeur Béatrice ne se contient plus,

l'agrippe par les épaules pour le brasser violemment:
"Parlez... Mais parlez donc! Allez-vous parler?"

La soeur Béatrice est maintenant mûre pour la grande révélation. Comme on a maintes et maintes fois répété la stratégie, tout devrait se dérouler en l'espace de deux ou trois secondes:

Suivant un code oculaire précis, Ti-Loup envoie ses yeux au ciel, vers Françoise, qui, elle, plisse les siens vers Gisèle qui, elle, ouvre les siens bien ronds pour ensuite se remplir d'air et affirmer vivement: "Dans la vieille chapelle, ma soeur. C'est là qu'elle est.

— Enfin! Merci Gisèle. Vous avez fait votre devoir."

Triomphante, soeur Béatrice chuchote des directives aux policiers tandis que Françoise sourit au porte-parole en guise de félicitations. En retrait, soeur Gertrude sonde les visages et discerne leur manège. Mais Gisèle ne peut plus supporter la tension et éclate en sanglots: "Je ne veux pas y aller en cellule!"

Le sergent Dubois avait sous ses ordres tous les gardiens du couvent. Son attitude imposante intimidait tous ceux qui étaient pris à déroger par exprès aux lois du va-et-vient.

Pour le moment, encadré de ses deux acolytes, il étudie avec intérêt le déboîtage d'un vitrail. À leurs côtés, soeur Béatrice et soeur Joseph-Albert hochent la tête pour confirmer que ce sont là les indices évidents d'une intrusion. Suivi timidement de soeur Gertrude, le groupe envahit le petit oratoire, maintenant délabré, où on a entreposé en pagaille des tas de choses hétéroclites. Les inquisiteurs y promènent leurs regards, sans résultat. Soudain Agnès surgit d'un recoin, grave, soumise, avouant sa défaite, jouant parfaitement son rôle. Presque aussitôt piégée par le regard scrutateur de soeur Gertrude, elle se détourne pour reprendre rapidement contenance devant soeur Béatrice qui s'avance vers elle: "Est-ce que Denis est ici?

— Ben NON! ma soeur", se récrie Agnès en baissant les yeux pudiquement.

Soeur Béatrice s'apprête à partir quand tout à coup, Agnès intervient d'une petite voix fluette: "Je pense qu'à cette heure-ci, Denis doit être en train de faire sa tournée sanitaire, ma soeur. Comme d'habitude!"

Exaspérée, soeur Béatrice se remet en marche, suivie de ses laquais.

Agnès sourit à soeur Gertrude avec un mélange de défi et de complicité. Soeur Gertrude fait de son mieux pour rester impassible.

24

L'oiseau rouge

Au coeur du labyrinthe, un oiseau hautain et magnifique, perché sur le toit de sa cage, déploie ses ailes vers le lointain. Barbouilleux n'avait jamais travaillé de la sorte. Des jours entiers, il peignait comme s'il voulait sortir de lui mille pensées en couleurs, mille personnages, pour les faire vivre sur les parois souterraines.

Fébrile, il trempe son pinceau dans le rouge écarlate, l'applique avec précision, du bec corné jusqu'à l'extrémité de la crête enflammée, puis recule quelque peu, satisfait de l'effet obtenu. Tout à coup, il fait demi-tour, redoutant une présence derrière lui. Mais il retrouve avec soulagement Gisèle, Régis et Ti-Cul dont il avait oublié l'assistance immobile et muette. Rassuré, Barbouilleux se remet au travail et, dans un sursaut d'inspiration, saisit le pinceau bleu, le plonge dans un pot et, d'un geste romantique, le frotte sur le ciel de la fresque. Mais le pinceau ne laisse aucune trace et il constate que le peu de peinture au fond du récipient s'est tout écaillée. Dans un élan de fureur, il jette le pot brutalement contre le mur. Effrayé par son propre tapage, il prête l'oreille et éclaire à la ronde, de crainte d'avoir ameuté quelqu'un, quelque part au loin; c'est le silence qui lui répond, bientôt remplacé par un tollé d'injures à la vue de tous les rajouts innommables peints par les enfants autour de sa fresque: "C'est quoi, ces cochonneries-là, hein?"

Barbouilleux botte de toutes ses forces une série de pots aussi vides les uns que les autres. Quant aux enfants, loin d'être apeurés, ils le fixent avec détachement.

"Dilapidateurs!... Vandales! Vous n'avez pas honte?"

Pour toute réponse, Gisèle, Régis et Ti-Cul affectent une attitude béate mais leur regard trahit la culpabilité.

25

Bigoudi-Choc

Les pensionnaires de l'aile arrière étaient confinés dans leur quartier puisque leur maladie très prononcée les empêchait de travailler et même de circuler. Certains, sujets à des crises ou enclins à l'automutilation, demeuraient sur leur berceuse, ligotés; d'autres se promenaient vers nulle part, en grande conversation avec eux-mêmes, sur un fil imaginaire dont ils étaient les uniques passagers, s'ingéniant à confondre les personnes qui voulaient se mêler de leur propos.

Pelotonnée dans un coin, s'ennuyant à mourir, Agnès entonne une complainte.
Ne parlez pas tant Lysandre,
car ça fait peur aux oiseaux,
les oiseaux pourraient vous entendre,
ils s'enfuiraient des bosquets.

Aimez-moi sans me le dire...
Aimez-moi sans me le dire...

Un peu plus loin, Denis semble mieux s'accommoder de son séjour forcé. Témoins à l'appui, il négocie avec un patient qui attend beaucoup de lui... "Tu ferais pas ça pour moi?

— Ben, ça dépend...", répond Denis en lui envoyant un sourire moqueur.

Émoustillé, le monsieur exhibe une pièce de monnaie: "Quiens! J'ai un cincennes. Dis-lé pas à la soeur, parzempe."

Denis embarque, le rire en coin: "Qué-cé que tu veux pour cincennes?"

À la vue de l'imposant rassemblement, le patient se gondole d'excitation. Apercevant Agnès, Denis lui joue de la prunelle, puis revient à la charge: "Quelque chose avec la langue?

— Oµi, oui, oui!..."

Le patient hilare pousse Denis à en mettre un peu plus: "Tout de suite?"

Le monsieur se trémousse déjà. Denis lui tend la main: "L'argent."

Jubilant, le patient lui présente la pièce. Denis l'empoche puis, le regardant bien en face, frétille la langue d'une lèvre à l'autre avec un bruit de crécelle. Dans le fou rire général, on applaudit Denis et le patient dupé. Les spectateurs se dispersent, sauf Ti-Loup et Françoise, de passage pour travailler.

Un trouble indéfini ombrage le sourire de Ti-Loup: "Est-ce que c'est vrai que si on reste longtemps avec des fous, on devient fous nous autres-mêmes?"

Furieuse, Agnès l'apostrophe: "C'est pas vrai ça! Es-tu fou, toi?

— Énerve-toi pas!

— On est venu faire notre temps", dit gentiment Françoise.

Agnès se redresse, apathique: "Ah oui!... Comment ça se passe en bas?

— Ça va bien."

Sûr de lui, Ti-Loup envoie discrètement: "On s'organise. Y en a qui sont durs à tenir, mais... je m'arrange avec ça.

— Y est important, lui!" rétorque Denis.

Feignant l'indifférence, Ti-Loup s'éloigne avec son seau et ses torchons et, sans trop de conviction, commence à laver une vitre. Attristée, Agnès craint que par son absence du labyrinthe son autorité sur le groupe ne lui échappe. Elle se replie en silence, escortée de Denis. Accroupie en face d'elle pour lui tenir compagnie, Françoise se demande pourquoi Denis a rabroué Ti-Loup, parce que dans le fond, elle se dit qu'ils sont venus là en visite, pas pour se chicaner pour des niaiseries sans importance et puis qu'il fait bien mieux d'être gentil si y veut qu'on s'arrange encore, avec tout le trouble que ça donne, pour revenir travailler si loin le temps qu'ils vont être ici. Elle trouve aussi que le moral de son amie est trop bas pour une fille qui est juste en pénitence: "Agnès, sais-tu quoi? La femme de la buanderie m'a donné un nouveau roman: *le Ciel de tes yeux*. J'ai regardé toutes les images. C'est tellement beau. Ah! que j'ai hâte que tu me racontes les paroles!"

Agnès n'est pas d'humeur aux sentiments. Françoise ne s'en formalise pas: "La fille blonde, là-dedans, elle te ressemble beaucoup... excepté que t'es brune."

Flattée, Agnès sourit enfin: "Ah oui?"

Une pensionnaire rayonnante déambule vers eux, la tête couverte de bouts d'étoffes multicolores, attachés à des mèches de cheveux, comme pour une permanente, mais dans des couleurs de carnaval. Denis l'accueille chaleureusement:

"Bonjour madame Dupuis. Où est-ce que vous allez comme ça? Vous êtes bien jolie."

La dame fond dans une douce gaieté: "Je m'en vas pas. Le Bon Dieu m'a dit que c'était aussi bien de même.

— Montrez-nous donc vos belles couettes." Amusé, Ti-Loup s'est joint à Denis pour dénouer les rubans de la patiente qui se laisse faire béatement. Une fois la cueillette terminée, Denis s'installe derrière Agnès, et Ti-Loup, derrière Françoise. En imitant les gestes des coiffeurs, ils roulent des mèches qu'ils fixent avec les bouts de tissu. Les deux clientes, coquettes à souhait, supervisent minutieusement le travail du coiffeur d'en face. Agnès se tient bien droite, la main gracieuse, le petit doigt en l'air: "Ma mère, elle disait que c'est très important pour la coiffure de bien friser les cheveux."

Soucieuse, Françoise réprimande Denis, en désignant Agnès: "Vous pensez pas que cette guenille-là est un peu croche... et puis celle-là, un peu haute...?"

Françoise se berce doucement, au rythme de l'ambiance quiète. Ti-Loup lui presse délicatement les épaules pour la stabiliser: "Bougez pas là, Madame, c'est presque fini."

Sans prévenir, Denis emprunte un air savant, plonge un doigt dans un pot fictif et étend de la vaseline imaginaire sur une tempe d'Agnès, puis sur l'autre. La cliente, perplexe quant aux techniques surprenantes de son coiffeur, comprend peu à peu l'astuce en voyant la dame d'en face recevoir le même traitement. On procède ensuite à l'imposition de petites pièces sur leurs tempes, puis on insère dans leur bouche un bâillon de guenille. Les victimes ouvrent les yeux tout grand en simulant la peur. Devenu médecin à son tour, Ti-Loup s'étire vers le mur et, d'un geste solennel, appuie sur le bouton imaginaire. Instantanément, les filles tombent en convulsions et, au travers des éclats de rires, se tortillent le corps tout entier, saisies, à répétition, de supposées décharges électriques. Mais Denis a du mal à contenir sa patiente: "Bougez pas tant, là, madame! Laissez-moi vous soigner."

Agnès, sur le bord de mourir... de rire, arrête ses contorsions, ce qui ne manque pas d'inquiéter Denis: "Restez pas molle comme ça, là, madame, gigotez un peu."

Crampée elle aussi, Françoise laisse échapper une plainte: "Elle marche plus votre machine, docteur.

— Un instant."

Efficace, Ti-Loup presse encore une fois le bouton imaginaire et aussi vite, Françoise et Agnès explosent de nouveau en convulsions. Excédés par leurs sujets, les médecins enlèvent leurs chandails et les enfilent aux filles, le devant derrière puis les ligotent solidement avec les manches. Plusieurs patients les observent partagés entre le rire et l'appréhension ou simplement attendant leur tour.

26

Miniatures

Les murs crevassés par le temps abritent des fioles d'encre colorée, rangées en parfait ordre, ainsi qu'un petit arsenal graphique. À plat ventre sur le sol relativement lisse, Barbouilleux dessine sur un bloc de papier de riz. Sa fine plume en acier glisse sur les moustaches d'un chat poursuivi par une énorme souris. À proximité, il a étalé une série de dessins en partie abstraits, aux traits précis et réguliers. Calme et serein, il pose sa plume, tasse, du revers de la main, des oeuvres inachevées et froissées en boule, puis choisit un pinceau chinois avec lequel il accentue le rebrousse-poil du chat traqué. Tout à coup sa main se fige puis bouche prestement l'encrier. Renfrogné, Barbouilleux essuie son pinceau, ramasse ses dessins, les empile minutieusement face contre terre et se redresse pour éteindre sa lampe à l'huile. Presque aussitôt, des rayons lumineux s'agitent sur les parois, accompagnés d'éclats de voix. Françoise apparaît et sursaute à la vue de Barbouilleux immobile dans le noir: "Ah! Barbouilleux, tu m'as fait peur."

Agnès, Denis et Ti-Loup examinent les lieux en inquisiteurs: "C'est une drôle de place ici." Ti-Loup scrute les alentours en ignorant Barbouilleux.

De son côté, Régis s'est emparé de la pile de dessins et les étudie, l'un après l'autre, avec émerveillement: "Avez-vous vu ça? La souris est plus grosse que le chat!

— Ça a pas beaucoup de bon sens... mais c'est beau." Incertaine, Françoise regarde de nouveau, suivie par Denis tout aussi perplexe. Régis s'empresse de faire leur éducation artistique: "Ça s'appelle de l'art IMPRESSIONNANT."

Françoise et Denis apprécient l'explication et maintenant... le dessin. Quant à Ti-Loup et Agnès, c'est plutôt l'aménagement de Barbouilleux qui les intrigue. Agnès lui glisse un oeil insidieux: "On est jamais venu ici, nous autres... Ça fais-tu longtemps que t'es ici, Barbouilleux?"

Barbouilleux ne bronche pas. Régis continue, admirant toujours les tableautins: "Aie!... les soeurs qui s'énervent pour tes peintures... Attends qu'elles voient *ça*!

— Je ne veux pas que les soeurs le sachent... Je ne veux pas que les soeurs les voient!"

Mal à l'aise, Régis repose les images exactement à leur place. Agnès s'en approche d'un air soupçonneux: "Alors, c'est pour qui ces beaux dessins-là, hein?

— On te voit plus. Tu te caches de nous autres?" reproche Denis.

Angoissé, le regard de Barbouilleux se pose sur chacun des enfants, puis sa voix rauque d'émotion se lève doucement: "Vous êtes une *bande*, vous autres. Moi aussi, j'ai l'air d'être tout seul, mais y a mes tableaux autour de moi, puis y a les tableaux qui sont pas encore faits, qui se débattent dans ma tête."

Il se fige dans un long silence, habité par des gestes confus et par la compassion des enfants. Il reprend son discours, cette fois plus fermement: "On a beau essayer, c'est difficile de se comprendre, vous et moi. On pense pas de la même manière quand on est petit ou quand on est grand. Je vais vous dire une chose: pour un *grand*, c'est plus difficile."

Agnès, partisane du réalisme: "Chacun son tour."

Flegmatique, Denis dévisage Barbouilleux: "Est-ce qu'on t'achale avec nos problèmes, nous autres?... Achale-nous donc pas avec les tiens."

Assise à l'écart, Françoise cesse soudain de se bercer: "Moi... Est-ce que je suis grande ou bien petite?"

Étonnée, Agnès la considère des pieds à la tête puis résoud la question: "Je dirais qu'un grand corps, puis une jeune tête ça fait une personne... moyenne. C'est ça: t'es moyenne, Françoise."

Ravie de l'éclaircissement, Françoise oscille de nouveau sur ses talons, s'accompagnant d'un murmure mélodique. De son côté, Barbouilleux s'anime de gestes fébriles: "Et en plus, je suis malade! Des fois, tout s'arrête autour de moi et tout à coup, je suis ailleurs... parfois dans un lieu que je ne connais pas, avec du sang sur moi... tout seul!

— C'est tragique ton affaire!" lui lance Ti-Loup décontracté.

D'un geste fulgurant, Barbouilleux l'attrape à deux mains par les cheveux, approche son visage du sien et le fixe, exalté: "Y a personne de mon bord: ni en haut, ni ici. Tout ce que je veux, c'est un peu de paix. Y a donc pas assez de place ici pour vous et pour moi?"

En silence, on l'encercla à pas lents. Denis s'accroupit prudemment et, sans le quitter des yeux, lui enserra peu à peu les poignets. Son regard affrontant celui de Denis, Barbouilleux relâcha graduellement Ti-Loup tandis que Denis libérait Barbouilleux à son tour. Apeuré et chancelant,

Ti-Loup se redressa vers les autres, maintenant regroupés à la sortie.

Resté seul, Barbouilleux se porta les mains à la tête pour agripper ses cheveux brutalement... Son corps se renversa lentement en s'animant de légers soubresauts. Ses yeux papillotaient. Un nuage d'écume rose émergeait de sa bouche. Il dormait.

27

Diphtérie

Après un long silence, Sébastien lève les yeux vers Régis: "J'suis pas bien ici... Je m'ennuie de vous autres.

— Manges-tu bien au moins?

— J'ai pas faim. Je peux pas avaler."

Sébastien était alité dans une salle à l'odeur aseptisée, réservée aux enfants soumis à une surveillance constante. Les responsables avaient dressé une palissade à l'intérieur des murs, créant ainsi une enceinte bordée d'un corridor périphérique où circulait exclusivement le personnel qui accédait aux jeunes patients par une porte munie d'un verrou. Pour éviter tout contact avec les contagieux, les visiteurs se tenaient au-delà du couloir-contour. Dressé sur la pointe des pieds, Régis dut parler d'une voix pleine, vu la distance et le va-et-vient qui les séparaient: "Pourquoi ils te gardent si longtemps?

— Je suis trop faible.

— Ils te donnent des remèdes au moins?

— Ah! oui. Ça goûte méchant, mais ils disent que ça va me guérir."

S'animant d'un sourire, Sébastien a quitté son lit: "Avez-vous beaucoup de lumière en bas?"

Consterné, Régis se rembrunit: "Ah! oui. On a tout ce qu'il faut.

— Ça fait que... j'pourrais y aller?"

Sans réponse, Régis hausse les épaules.

Une religieuse infirmière s'approche avec bienveillance: "C'est assez, Régis. Il faut que Sébastien se repose maintenant.

Soeur Sainte-Marie prend délicatement le bras de Sébastien pour le ramener à son lit.

"Lâchez-moi! Je veux sortir."

Une autre infirmière entraîne doucement Régis vers la porte. Affligé, il s'éloigne sans se retourner... vers Sébastien qui se débat faiblement.

28

Face à face

Le regard lointain, soeur Gertrude s'attardait à sa fenêtre. De sa cellule émanait une atmosphère tendue des jours où rien ne va. Sur son bureau, des registres et des papiers pêle-mêle révélaient un travail laissé en plan. Elle avait invité Agnès plusieurs fois, lui avait même offert un recueil de chansons, mais depuis quelque temps, son amie se disait trop occupée. Et ses disparitions inquiétantes, suivies de retours expliqués dans l'arrogance ou l'indifférence... Est-ce un rejet de la part d'Agnès? Ou peut-être simplement une nouvelle vie avec de nouveaux amis? Ou encore la découverte de l'amour... Mon Dieu, je vous en supplie, dites-moi quoi faire.

Soeur Gertrude sursaute. On cogne de nouveau. Elle se ressaisit, referme ses livres, remet un peu d'ordre sur son bureau, puis ouvre à une Agnès très sûre d'elle, presque hautaine.

"Entrez, Agnès."

Agnès prend ses aises puis, faussement innocente: "Vous me dites vous maintenant?

— Agnès, vous n'êtes plus vous-même. Depuis notre dernière leçon...

— Soeur Gertrude... on fait rien de mal.. J'ai rien fait de mal, ma soeur." Elle fixe la religieuse en toute franchise: "Me croyez-vous?

— Oui, je vous crois. Je n'ai pas le choix.

— Vous vous tracassez pour rien. J'peux tout vous raconter..."

Affolée, soeur Gertrude lui coupe la parole: "Je ne vous écouterai pas.

— Vous auriez peur de me trahir?

— Agnès, arrêtez de me torturer, vous savez que je ne pense qu'à votre bien.

— Bon... Est-ce que je peux partir, ma soeur?"

Soeur Gertrude aurait tant de choses à lui dire, à lui raconter, mais pas aujourd'hui. Debout près de la porte, le coeur à la course, Agnès lui manque déjà.

"À la prochaine leçon?"

En guise de réponse, Agnès hausse les épaules, mais avant de la quitter, elle offre à la religieuse un regard de tendresse et de reconnaissance.

Inventaire

Barbouilleux ne séjournait dans sa chambre qu'aux heures de sommeil. Sur le sol s'empilaient des pinceaux et des tubes séchés, du papier à dessin... en somme, tout ce dont il n'avait plus besoin. Il avait même délaissé ses pastels dans un coin.

Le visage souriant, soeur Honorine se pointe dans l'entre-bâillement de la porte. Constatant que la place est déserte, elle entre, suivie de soeur Joseph-Albert. Les religieuses tassent du pied les débris sur leur passage, ouvrent la porte de la garde-robe et en sortent la toile représentant leur institution dans un équilibre précaire, une ébauche de nature morte, et un joli paysage qu'il a lacéré à coups de couteau. Attristée, soeur Honorine tente un rapiéçage mais en vain: "Dommage..." Elle replace le tout hâtivement puis presse le pas vers la commode, suivie de sa consoeur. Elles y trouvent des portraits au fusain exhibant des visages hallucinés et referment aussitôt les tiroirs pour aller se prosterner, la tête sous le lit. Elles y dénichent un tableau représentant des soeurs aux visages horrifiés. Ces hébétées sont le miroir fidèle de la tête que fait soeur Honorine en se reconnaissant sur le dessin. Se sentant ridiculisée, elle brandit rageusement le portrait vers sa complice: "Entre nous, Joseph-Albert, je ne crois pas qu'il y ait là de quoi faire une exposition. Je ne vois pas l'ombre d'un tableau que l'on puisse vendre.

— Je me demande pourquoi il resterait au département privé à nos frais! S'il croit qu'il peut profiter de tous les privilèges sans faire sa quote-part...?!

— On lui a donné trop de permissions.

— La liberté, c'est pas efficace."

Agonie

La salle de recouvrement était plongée dans la tranquillité. La plupart des enfants dormaient paisiblement, tandis que l'un d'entre eux accueillait avec soumission soeur Sainte-Marie et son chariot médical. Assoupi sur une chaise, Régis s'était soudainement réveillé, inquiété par la respiration angoissée de Sébastien. Il s'élança pour de l'aide, mais soeur Sainte-Marie était déjà là, à la rescousse. Elle se pencha sur Sébastien pour, au bout d'un instant, s'éloigner en courant. Régis s'accroupit auprès de lui: "Sébastien... Sébastien..."

Il ouvrit les yeux, mais ne semblait rien voir, en lutte avec son corps et sa douleur. Soeur Sainte-Marie accourut, suivie du docteur Dubé et d'une infirmière qui aussitôt s'activèrent autour du malade. Au travers des gémissements et des mouvements précipités du personnel médical, Régis l'entrevit, ses membres presque inertes... sa respiration haletante... les efforts marqués par la finalité, et le peu d'espoir qui s'en-suivit... Les larmes lui montèrent aux yeux. Le médecin, à bout de ressources, recula d'un pas. Soeur Sainte-Marie souleva le corps et l'enveloppa de ses langes pour le cacher à la vue puis, aidée du médecin, le transporta dans une salle attenante. Le coeur brisé, Régis se rua vers la sortie.

Il courut à toutes jambes dans un couloir sans fin. Malgré les pleurs qui lui brouillaient la route, il zigzagua à pleine vitesse entre les passants ahuris en les effleurant à peine. Arrivé au corridor de l'entrée principale, il contint péniblement son mal, le souffle obstrué d'un sifflement profond. Au bout d'un long moment, il s'approcha à pas lents du pion qui lui préparait un comité de réception à sa hauteur, digne de sa hardiesse habituelle: "Tiens, le jeune Lupien! Permis de circuler!"

La tête baissée, Régis resta en plan, aux côtés du gardien, faisant tout pour retenir son tourment. Peu à peu les sons réussirent à sortir de lui: "C'est pour Barbouilleux... Il lui faut des cartons en couleurs... Soeur Honorine insiste là-dessus et puis c'est pressé et puis..." Sa voix se camoufla dans la douleur, puis éclata au travers des sanglots: "Sébastien est rendu dans l'autre monde... Sébastien."

Le gardien lui mit les mains sur les épaules pour en apaiser les soubresauts et attendit patiemment. Régis lui serra les poignets aussi fort que sa tristesse lui pesait et se laissa glisser imperceptiblement dans l'étreinte de l'officier dont le regard s'embua d'impuissance face à ce qu'il voulait dire pour réconforter. Dans un élan, Régis releva la tête: "Est-ce que je peux aller voir Barbouilleux dans le parc?"

Le gardien esquissa un sourire, lui mit doucement la main sur la joue mais Régis s'esquiva aussitôt vers la grande porte dans une course effrénée.

138

Hors d'haleine, Régis s'enfonça dans les souterrains. Comme ses vrais habitants, il n'avait pas besoin de lampe ou de chandelle. De toute façon, sa peine lui couvrait la vue. Dans un tournant, il se frappa contre une paroi et s'écroula sur le sol. Étourdi, il repensa à Sébastien. Comme lui, il cherchait l'air et comme lui, il avait peur. Il se releva lentement, prit une respiration profonde et attendit un moment afin que ses yeux puissent capter la noirceur. Puis il se mit en marche doucement, à pas comptés. Peu à peu, il reconnaissait au toucher les endroits, les encoignures, les tournants qu'il avait cent fois enjambés à toute vitesse. Les murs, les anfractuosités le rassuraient et, d'une certaine façon, le guidaient; le silence l'apaisait et les bruits intermittents et indistincts le réconciliaient avec son anxiété, à savoir que d'autres aussi pouvaient vivre et respirer ici. Pour un instant, il se demanda si ce serait pas possible de se perdre dans les profondeurs et de trouver un moyen de se faire oublier par tout ceux qu'on connaît. Juste rester ici tout le temps. Peut-être que Sébastien pourrait veiller à la sécurité parce que des fois, ça pourrait être dangereux d'être mêlé à jamais au monde étrange abrité par le labyrinthe. Barbouilleux, une fois, avait dit que sous la terre, y a une force qui peut se resserrer sur toi, au moment où tu t'y en attends le moins; qu'il faut à tout prix la refréner, l'amadouer. Dans ces moments-là, on n'a qu'à se laisser bercer et puis, ça passe comme c'est venu.

Régis sentit sa douleur le quitter pour faire place à une sorte de compréhension qui s'installa en lui, avec tristesse, mais avec résignation.

31

Persuasion

"Je pense qu'on ferait mieux, surtout parce que Sébastien veut sûrement ça... Même que il faut décider tout de suite en cas que, quand nous autres on va vouloir, ce sera plus possible."

Françoise était très absorbée et tentait de débattre son idée. On pouvait à peine la comprendre. Quant à Denis, Agnès, Ti-Loup et Régis, ils résistaient à voter une résolution, et aussi à l'ambiance des souterrains qui les bousculait dans leurs réflexions.

"On le sait même pas s'il est mort", marmonne Denis.

Alarmé, Ti-Cul s'approche, suivi de Gisèle.

"Quelqu'un est mort?

— *Supposons* qu'il est mort... qu'est-ce qu'on ferait avec", demande Agnès en se redressant vers Françoise qui a fixé son attention sur elle.

Gisèle murmure au travers des larmes: "Sébastien...?
— Vous êtes une bande de lâches... d'écoeurants... MOI, je vais y aller le chercher... tout seul!" hurle Régis.

Comme convenu, Denis, accompagné de Ti-Loup, s'avança à pas rapides avec un grand sac à lessive bourré. Gisèle les attendait à l'embranchement du couloir réservé à l'infirmerie et leur signala discrètement que le chemin était clair. Le regard intense, les garçons lui emboîtèrent le pas, dans un silence pressant. Un peu plus loin, Denis et Ti-Loup firent une halte tandis que Gisèle les précédait à une porte voisine. Elle entrouvrit discrètement la porte et disparut à l'intérieur. L'oeil rivé sur l'embrasure de la salle de recouvrement, Denis et Ti-Loup firent mine de converser. À pas feutrés, émue, Gisèle en ressortit puis s'installa aux abords pour monter la garde pendant que les deux garçons s'y introduisaient à leur tour. Trois passantes en chaise roulante s'arrêtèrent devant Gisèle. Aussitôt, elle partit d'un grand rire pour alerter ses complices et escorta allègrement les patientes vers l'ascenseur: "Vite, vite, y a une fête au deuxième. Tout le monde est invité."

Puis elle revint promptement tourner quatre fois la poignée en toussant; Denis et Ti-Loup ressortirent les dents serrées, le coeur gros, agrippés à deux mains au sac de lessive. Gisèle les suivait des yeux quand tout à coup, elle aperçut une religieuse infirmière qui s'approchait des garçons. Aussitôt, Gisèle l'intercepta en pleurnichant comme une damnée: "Ma soeur, ma soeur, j'ai tellement mal au doigt..."

La religieuse l'examina à la volée: "J'vois rien...
— Là, là!" insista Gisèle en lui mettant son pouce sous le nez.

Attendrie, la soeur lui caressa la tête du bout des doigts: "On s'occupera de ça tout à l'heure, hein?" La religieuse s'empressa d'aller à la salle de recouvrement. Soulagée, Gisèle s'éloigna en courant.

De leur côté, Denis et Ti-Loup traversèrent une grande salle de joueurs de dominos, de parchési, de ping-pong... Ils établirent un bref contact oculaire avec Françoise, subjuguée par les révélations d'une dame qui lui lisait sa vie dans les cartes. Soudain, les deux garçons aperçurent soeur Julienne et firent volte-face nerveusement. Intriguée par leur réaction précipitée, la religieuse s'approcha d'eux: "Denis... Pierre... Où allez-vous?"

Ils s'arrêtèrent sec, saisis par une sueur froide. Mais aussitôt, un hurlement retentit: "Ayoye! Elle m'a mordue!! Maudite folle!! Pourquoi tu m'as mordue?"

À toute vitesse, soeur Julienne se précipita vers Françoise qui simula une douleur épouvantable. Les garçons soulevèrent délicatement leur précieux bagage et se tirèrent en douce.

Dans un deuxième souffle, les nerfs à vif, Denis et Ti-Loup enfilèrent enfin le grand corridor au pas de course, regardant droit devant, déterminés à faire la sourde oreille à toute intervention inopinée.

Au bout d'un moment, ils ralentirent en apercevant Ti-Cul, posté à une porte, sous l'image du Supplice des Saints Martyrs canadiens. Promptement, Ti-Cul frappa trois coups, attendit que la circulation s'apaise, et là, il donna un coup de pied discret au bas de la porte qui s'ouvrit aussitôt, actionnée par Agnès et Régis. Puis on s'engagea dans l'escalier souterrain.

Les passants déambulaient, des religieuses pressaient le pas vers leur quotidien, insouciants de la porte qui se refermait prestement et sans bruit.

32

La décision

Tendue à l'extrême, soeur Béatrice se mit à faire les cent pas. Elle réfléchissait sur son poste de directrice du personnel et évaluait combien les décisions souvent pressantes où seule prévalait la bonne marche de l'établissement lui pesaient.

Venue alerter sa supérieure, soeur Sainte-Marie semblait bouleversée, déroutée. Après nombre d'années en hôpital, l'emprise de la mort sur la vie était perçue comme le désir de l'au-delà; mais la disparition du corps de Sébastien la plongeait dans une stupéfaction, une colère exacerbée par l'impuissance d'agir ou même de comprendre.

"Quelle heure était-il?" s'impatiente soeur Béatrice.

— Quatre heures et quart, ma soeur. Comme le docteur Dubé était là, je suis allée faire ma ronde. Quand je suis revenue, il devait être six heures et demie."

Soeur Béatrice fulmine: "Incroyable!" puis porte sur soeur Sainte-Marie un regard intransigeant: "Cette affaire-là doit rester strictement entre nous."

Sa subalterne est saisie d'effroi: "C'est impossible, ma soeur, sur...

— Vous croyez...? Eh bien allez tout de suite prévenir monsieur Morin d'apporter une boîte dont vous vous occuperez *personnellement!* Et dites-lui d'aller au petit cimetière préparer le lot 24. Moi, je convoque le père Aumônier.

— Oui, ma soeur."

À l'extrémité d'une ramification souterraine, les flammes cherchaient équilibre sur leur pied de cire et encerclaient l'espace dans une solennité rassurante. Quelques bouteilles de vin de messe, des serviettes et des cadeaux ornaient l'aménagement funéraire. Agnès, Françoise et Gisèle, penchées vers le sol, y déposèrent des draps entremêlés et les façonnèrent, beaux et confortables, pour le dernier sommeil de Sébastien. Ti-Cul ouvrit le sac de toile; Denis et Ti-Loup en retirèrent le cadavre pour le poser soigneusement sur le socle immaculé. Le rituel se passa dans la plus grande simplicité, sans effusions, comme un groupe d'amis rendant visite à l'un des leurs.

Imposant avec son fusil en bandoulière, Ti-Cul s'avance vers Sébastien: "Tiens, je vais te faire un cadeau... l'affaire pour écouter le coeur." Il place un stéthoscope à ses côtés. "Je peux pas te donner mon fusil parce que ça, j'en ai besoin."

Françoise dépose un photoroman: "Tiens! C'est mon plus beau."

Régis s'approche. Il réfléchit un instant. Il ouvre la bouche, mais aucun son n'en sort. Les larmes lui montent aux yeux. Il reste là, immobile et muet. Gisèle le pousse délicatement pour prendre place. Elle hausse les épaules en lui montrant ses mains vides: "Sébastien... C'est juste pour te dire que t'avais pas la bouche trop grande et puis que t'as pas à t'en faire avec ça."

La lune, pleine de tous ses quartier, ouvrit le chemin au petit défilé funèbre composé de soeur Béatrice, soeur Sainte-Marie, de l'abbé Ménard et, à quelques pas derrière, de monsieur Morin, portant la lourde boîte sur l'épaule. Ils s'arrêtèrent près d'une cavité fraîchement creusée. Le fossoyeur en retira la pelle pour poser la boîte dans le trou. S'approchant à son tour, l'aumônier fila le *De profundis* dans un murmure, conclut par une bénédiction suivie d'une génuflexion, puis s'empressa vers les religieuses, restées à l'écart. Monsieur Morin s'avança au-dessus du trou, y déposa doucement une fleur du printemps, se signa, puis, la gorge nouée, remplit mécaniquement la fosse.

Soeur Béatrice s'adressa à l'aumônier gravement, à titre confidentiel: "Il est mort en deux jours... diphtérie.

— Ah oui?

— On n'a pas eu le temps de s'en apercevoir... Dans un dortoir d'enfants! Vous comprenez...?

— Ah! mon Dieu!

— C'est pas la peine d'affoler les gens pour rien.

— Bien sûr.

— Pourrions-nous signer le registre? Il commence à faire froid."

Soeur Sainte-Marie était là, toute prête, avec le registre et le stylo. Chacun s'exécuta rapidement, y compris monsieur Morin qui avait terminé son travail. Dans une génuflexion, l'abbé Ménard planta une menue croix de bois pour désigner l'emplacement, puis le petit groupe traversa le cimetière vers l'immense édifice grisâtre se découpant dans la nuit.

Des rires et des éclats de voix fusaient de la chambre funéraire. Le vin de messe avait été grassement entamé et les conversations allaient bon train. Au centre, Sébastien semblait être l'un du groupe, qui se serait endormi.

Très animé et pris d'un hoquet, Régis raconte une anecdote dangereuse et flamboyante: "... et puis là, on a nagé pendant des heures... peut-être huit heures! Tout à coup y a un gros bateau à moteur qui arrive à toute vitesse sur nous autres, et puis..."

Gisèle l'interrompt, admirative: "Tu t'en rappelles donc beaucoup, des histoires! Tu te souviens de tout, tout, tout, exactement!

— Ça fait que...

— Moi, une fois, j'étais petite", intervient Agnès."Ça fait *très* longtemps. J'étais couchée dans un p'tit, p'tit lit. Et puis, tout d'un coup, je me suis réveillée parce que j'avais trop peur. Ça fait que j'ai couru vite, vite, vite... pour aller me coucher avec ma mère." Elle hésite un moment... "J'pense que c'était ma mère. Et puis après ça, je m'en souviens plus. Et puis après ça, j'étais avec elle, par la main, dans le bois... Et puis ma mère, elle m'a amenée dans toutes sortes de places. On était bien contentes..." Elle réfléchit quelques instants."Je sais pas si c'était des vraies places, mais à part ces endroits-là, moi, je connais pas aucune place."Agnès cherche les endroits dans sa mémoire. Bon! Y a la salle commune à l'orphelinat avec son amie Denise qui, des fois, était pas toujours gentille, même qu'une fois elle lui a dit qu'il y en a qui naissent pas de mère puis pas de père. Elle était bien niaiseuse, puis je lui souhaite de pas en savoir plus aujourd'hui. Les souvenirs plus éloignés se rapportent à une dame qui était venue choisir un enfant pour l'amener chez elle. Elle était très bien habillée et y paraît qu'elle était même venue en automobile et puis elle était repartie avec un tout petit bébé que ça faisait même pas dix jours qu'il était là. Après ça, Agnès se souvient d'avoir été transférée au couvent pour aider. Là, une fois, elle avait dit à une soeur au beau sourire que, elle avait très peur parce que le couvent est très grand avec beaucoup de monde et que, elle serait bien mieux d'appeler sa mère pour lui dire ça. C'est là que soeur Gertrude, elle m'a tout de suite dit son nom, et que je pouvais venir la voir quand je voulais et qu'elle m'a pris par la main pour me montrer où était sa chambre avec son bureau dedans.

— Mais es-tu déjà allée, toi, dans un bateau à cent milles à l'heure? demande Régis. C'est encore bien pire...!"

Sa remarque est ignorée d'absolument tout le monde. La bouteille fait sa tournée au sein des fêtards ramollis. Ti-Cul annonce officiellement: "Moi, je rêve pas, parce que je dors trop dur."

Gisèle lui tend la bouteille. "Faut que tu dises une histoire à Sébastien", ce qui enthousiasme Ti-Cul: "Ah! oui... Moi j'en connais tellement des histoires... puis se dégonflant, que je les oublie toutes à mesure.

— Juste une, Ti-Cul."

Fièrement, il se lève, titube un peu et commence: "J'ai dans ma cave un chat noirr. Ses yeux... Euh! J'ai... J'ai un chat noirr... Non... Clairr..."

Son public ne le suit pas beaucoup et, dans un mouvement chambranlant, on se redresse en se dégourdissant les jambes pour se gîter un peu plus loin. Quant à Ti-Cul, très concentré, il précipite sa conclusion: "Mais en tout cas, BONSOIR! Ça sert à RRRIEN!"

Satisfait de lui-même, il rejoint les autres qui, pour la plupart, tendent vers l'horizontale. Ti-Cul s'écroule et dort déjà avant d'atteindre le sol.

Tout seul auprès de Sébastien, Régis s'accroupit vers son oreille pour lui raconter avec conviction la fin de son histoire: "Ces gars-là, ils se pensaient bien fins avec leur gros

149

bateau... Mais nous autres, on était dans l'eau, morts de peur!
Sais-tu qu'est-ce qu'on a fait...? Hein?"

33

Le lendemain de la veille

On avait déménagé tous les objets utilitaires dans les noveaux locaux pour que Sébastien ait une place à lui, seul. Puis on avait fait un pacte, celui de ne jamais plus y mettre les pieds.

La gueule de bois et les yeux petits du lendemain de la veille, Gisèle, Françoise, Agnès et Denis mettent la dernière main à la réorganisation. À plat ventre dans une position inconfortable, la tête reposant sur le ciment à côté de l'oreiller qu'on avait placé pour lui, Ti-Cul dort comme une pierre. Impatient, Denis le secoue vigoureusement: "Bon, maintenant tu te lèves, Ti-Cul. Ça fait trois fois que je te le dis."

Ti-Cul se redresse et, en marmonnant des protestations, vacille vers l'endroit habituel. Agnès lui lance: "Non, Ti-Cul. C'est plus là maintenant."

Continuant sur l'air d'aller: "J'va pisser."

Elle l'intercepte doucement: "On va plus là. C'est la chambre de Sébastien. Les toilettes, maintenant, c'est par là."

Denis en profite pour conclure: "Et puis l'eau c'est ici, mais seulement pour boire, Y'en a presque plus."

Ti-Cul fait volte-face et va là où il faut. Gisèle berce sa poupée: "J'ai faim."

Agacée, Françoise rétorque: "Ça sert à rien de le dire! Moi, c'est pareil, mais j'en parle pas.

— Ah non? Tu viens d'en parler là... Puis assez fort!"

34

Le procès

Grignotant en silence, Régis et Ti-Loup traversèrent la porte de métal, les bras chargés de pommes de terre, de carottes et de boîtes de conserves. Alertés par un bruit, ils soufflèrent leurs chandelles puis, après avoir déposé leur fardeau, ils s'avancèrent prudemment en direction des pas suspects. Ils s'engagèrent dans le tunnel où, avec Barbouilleux, ils avaient dessiné des anges à l'affût, conduisant des camions remplis de munitions et de vivres, tirant d'énormes bateaux pleins d'enfants tenant chacun au bout d'une longue corde des chevaux attelés à des charrettes avec leurs poulains nouveau-nés dedans. Au loin, ils aperçurent Barbouilleux, une lampe dans une main et, dans l'autre, une mallette. Ils le suivirent à distance pour se retrouver dans un passage se rétrécissant comme un entonnoir, dont la pointe leur apparut, graduellement, comme un couloir au plafond peu élevé, formé d'énormes tuyaux de béton, emboîtés les uns dans les autres, qui allaient se perdre à l'infini. Barbouilleux déposa sa mallette, se recroquevilla à quatre pattes et, d'un mouvement assuré, pénétra dans le tunnel. Dans la pénombre, Régis et Ti-Loup échangèrent un regard soupçonneux. Après quelques secondes, Barbouilleux ressortit de l'embouchure à reculons. Arborant un sourire d'extrême satisfaction, il tassa sa mallette et son sac en cuir dans un recoin, puis s'apprêta à rebrousser chemin. Dans une manoeuvre rapide, Régis et Ti-Loup se dissimulèrent et Barbouilleux quitta son antre. Les deux garçons le filèrent à vue et bientôt réalisèrent avec effroi qu'il avait emprunté le virage en épingle à cheveux du reposoir où gisait Sébastien. Aussitôt Régis fit signe à Ti-Loup d'aller avertir les autres tandis qu'il continuerait sur la trace de l'intrus.

Un peu plus loin, Barbouilleux remarqua un aménagement insolite et l'inspecta avec précaution. En curieux, il découvrit les bouteilles vides, le stéthoscope, le photoroman, le jeu de dominos, le paquet de cartes, les animaux de papier et tous les autres cadeaux. Il s'avança au milieu de la place et souleva le linge de coton blanc. Incapable de détourner son regard pétrifié, il fixa Sébastien dans un cri horrible. Après un long moment, il recula enfin de quelques pas puis s'éloigna. Immobile, les yeux mouillés de rage, Régis lui laissa furtivement le passage puis le suivit à pas fébriles et silencieux.

Quand Barbouilleux arriva aux abords de l'entrepôt et pénétra à l'intérieur, la lumière du plafonnier écrasa le rayon de sa lampe. Ébloui, il pivota vers l'embrasure bloquée par Régis. Derrière lui, on apparut, un par un, puis Denis referma la porte. Le regard traqué, Barbouilleux s'apprêtait à s'expliquer, mais Agnès prit les devants: "Tu pars en voyage, Barbouilleux?"

Gisèle et Régis s'approchèrent de lui. "Où est-ce que tu vas?
— C'est un beau trou que t'as trouvé pour sortir, Barbouilleux.
— Tu dois être content! Ti-Loup lui sourit comme il le méritait.
— Je faisais ça pour vous autres."
Denis, faussement emballé: "Ah oui?
— Je voulais qu'on parte ensemble."
Agnès lui marmonna: "Inquiète-toi pas pour nous autres, Barbouilleux. On sortira une autre fois.
— Mais, je pense que t'es pas tout à fait prêt, Barbouilleux.
— T'es trop pressé. T'es encore malade." Ti-Loup et Françoise se tinrent aux aguets. Ti-Cul conclut gravement: "Faut que tu te fasses encore un peu soigner."
Barbouilleux bondit vers la porte, mais aussitôt Denis l'intercepta avec un croc-en-jambe qui le terrassa.Prestement aidé de tous, il lui attacha les chevilles et les bras, puis Agnès dévissa le capuchon d'une bouteille: "Veux-tu une pilule, Barbouilleux?"

Denis et Ti-Loup l'empêchèrent de rouler ou de se détourner tandis que Régis lui ouvrit la bouche en appliquant une forte pression de chaque côté de la mâchoire. Puis des pilules de couleurs et de formes variées lui furent administrées.
Ti-Loup, une rose: "Tu vois toutes sortes d'affaires impossibles."

Agnès, une jaune tubulaire: "...des femmes qui existent pas."

Ti-Cul, une bleue: "... des oiseaux plus gros que leurs cages."

Françoise, deux blanches: "... des morts dans les tunnels!"

Gisèle, une jaune et noire: "Ça a pas de bon sens, ça!"

Régis, deux rouges: "T'as un visage pour nous autres, Barbouilleux, puis un autre pour les soeurs."

Gisèle, une dernière poignée: "Pauvre Barbouilleux! T'es bien mal amanché!

— Dépêche-toi, Barbouilleux. Il faut que t'arrives en haut avant de t'endormir."

Denis lui avait délié les pieds pour l'escorter jusqu'à la porte.

Barbouilleux s'éloigna en titubant.

Sonde gastrique

Impeccable de propreté, la chambre de Barbouilleux respirait l'organisation. Une sonde gastrique dans le nez, branché sur un soluté intraveineux, il était veillé attentivement par soeur Béatrice, soeur Sainte-Marie, soeur Sainte-Anne et le docteur Dubé.

Le silence règne, troublé au bout d'un moment par des marmonnements confus, entrecoupés d'agitation. Les témoins se consultent du regard et tendent l'oreille. Soeur Sainte-Anne approche doucement sa main de celle de Barbouilleux. Les yeux écarquillés et scrutateurs, il se tourne vers la religieuse puis, dans un grand effort, se dresse vers elle: "Régis?" et retombe aussitôt.

Déception dans l'auditoire. Docteur Dubé le secoue délicatement: "Monsieur Leclerc... Regardez-moi bien... Me reconnaissez-vous?"

Les visiteurs aux aguets espèrent la suite, mais Barbouilleux reste muet, les yeux hagards, plongés dans le néant. On frappe à la porte. Un gardien ouvre. Avec révérence, on cède le passage vers le lit à une religieuse insufflant respect et obédience: "Il a parlé?"

Soeur Béatrice s'approche et, avec une inflexion de la tête: "Ça commence, Révérende Mère. Il faut attendre encore un peu. Voulez-vous que je vous fasse prévenir?

— Merci, j'attendrai."

La soeur supérieure accepte un siège. Chacun reprend sa place. Silence. Immobilité.

Pas de nouvelles

Le département privé était doté d'une véranda parée de plantes bizarres et variées. Souvent, soeur Gertrude y venait et, à pas comptés, effleurait au passage les absinthes à l'odeur apaisante puis se pressait de nouveau vers son travail. Ce jour-là, elle était très absorbée et traversa le solarium lentement mais sans s'attarder. Aux environs de la chambre de Barbouilleux, elle hésita un moment, prêta discrètement l'oreille vers la porte, se ravisa presque aussitôt pour se diriger vers le petit office de soeur Honorine.

"Excusez-moi... Est-ce qu'il y a des nouvelles?

— J'en sais rien, soeur Gertrude." Soeur Honorine lui porte un regard acrimonieux: "J'écoute pas aux portes."

Cette malveillance blesse soeur Gertrude, mais elle ne proteste pas et reste là, en plan, ignorée par soeur Honorine et contenant difficilement son inquiétude: "Est-ce qu'on a des nouvelles des enfants?

Soeur Honorine relève la tête, implacable: "Non, ma soeur. On n'a pas de nouvelles, ni d'*Agnès* ni de personne.

— Merci, ma soeur.''

Soeur Gertrude s'éloigne, ne manifestant rien de ses émotions.

37

La descente

Un groupe officiel descendit dans les souterrains: soeur Supérieure, soeur Béatrice soeur Sainte-Marie, soeur Hélène, le docteur Dubé et le sergent Dubois. S'empressant dans les corridors, chacun avec une lampe de poche puissante, ils étaient graves et tendus, perturbés par l'écho du silence, pourtant lié aux profondeurs. En frôlant les fresques, ils prirent bien garde d'exposer leurs réactions, car ils se sentaient épiés à travers les ténèbres.

Soudain, longeant une ramification, surgit à leur pieds, lavé par leurs six lampes, le cadavre raidi de Sébastien. Leurs lumières, bien qu'agressantes, l'inondèrent d'une transparence paisible pour l'envelopper, telle une apparition. Les intrus étaient sidérés de frayeur à l'idée d'avoir profané le repos du mort. Dans le regard de soeur Béatrice éclata la crainte d'un avenir lourdement hypothéqué tandis que soeur Sainte-Marie s'évanouit dans un cri viscéral. Prise de panique soeur Béatrice se mit à frapper à toute volée sa complice prostrée, en hurlant comme une démente: "Relevez-vous! C'est pas de votre faute. Tout va bien..."

38

Réunion au sommet

Orné de boiseries aux décalques élaborés et de meubles en bois de rose massif, décoré de lithographies religieuses, le bureau de la soeur Supérieure imprégnait ses visiteurs d'une atmosphère imposante et solennelle, comme il se devait. La soeur Supérieure, soeur Joseph-Albert, soeur Honorine, soeur Hélène, le docteur Dubé en costume de sortie et le sergent Dubois en uniforme d'apparat, formaient un tableau silencieux en attente d'un événement important.

Enfin, la soeur Portière apparaît: "Monsieur le Ministre, Révérende Mère."

Le jour même, inquiétées par la gravité de la situation, les religieuses avaient, ce qui était très rare, demandé conseil à "l'extérieur".

Le Ministre se détache d'un groupe d'acolytes, s'avance en souriant pour serrer les mains à la ronde, puis on l'invite à prendre place dans le fauteuil le plus profond, tandis que la porte se referme discrètement sur ses gardes du corps. Les regards de la soeur Supérieure et du Ministre se mesurent un long moment. Puis se redressant sur son fauteuil: "Dites-moi, Révérende Mère... combien sont-ils?"

La soeur Supérieure fait signe à soeur Joseph-Albert de prendre la parole. "... Sept en tout, monsieur le Ministre. Quatre garçons et... trois filles. Entre sept et quinze ans. Il y a aussi une jeune patiente de vingt ans."

Le Ministre s'assombrit. "... Au bout du compte, on a fini par comprendre ce qui était impossible à prévoir..."

Soeur Honorine et soeur Hélène s'approchent à leur tour: "Ils se sont installés dans les tunnels souterrains...

— Que pratiquement personne ne connaissait."

La soeur Supérieure intervient du regard et les religieuses s'éloignent promptement. Puis elle s'adresse au Ministre, seule à seul: "Nous manquons de personnel, vous le savez, monsieur le Ministre. Nous sommes débordées. Ces enfants-là sont un fardeau supplémentaire. Jamais on aurait pu croire...

— Dites-moi, Révérende Mère... Monsieur Leclerc, le peintre, comment est-il?

— On lui a fait une dialyse... On verra bien.

— Ah bon!"

Le Ministre réfléchit quelques instants puis, affichant un air désintéressé: "Et ces derniers dessins dont vous me parliez...? C'était bien?

— Pas fameux, malheureusement! des gribouillages, sur de petits bouts de papier... même pas en couleurs.

— Je peux voir?

— Si vous voulez."

Elle le guida dans la pièce attenante, à la table de conférence où étaient disposées les pièces à conviction et, dans un soupir, lui tendit un dessin représentant un homme sans tête en train de brosser un portrait, celui d'une tête énorme sur un cou décharné. Au premier coup d'oeil, le Ministre en perdit l'équilibre, plaça le chef-d'oeuvre sous une lampe et l'admira avec passion.

39

Évasion

Les yeux rivés sur le tunnel secret de Barbouilleux, Régis, Gisèle et Ti-Cul avaient langui, à l'affût et apeurés.

Mais il n'y avait pas d'autre choix. Et puis à l'extérieur, sûrement qu'il y aura des places où rester, où travailler avec beaucoup de choses à voir. Y disent qu'ici, c'est la maison des fous et de ceux qui en ont pas de maison. Dehors, c'est supposé qu'il y a personne qui surveille, sauf la police qui est comme les gardiens d'ici et puis que y a des endroits sur des fermes où les enfants peuvent avoir une besogne. Y en a qui sont déjà allés et qui ont raconté que c'est beaucoup d'ouvrage, mais que les animaux sont faciles à s'occuper et que les fermiers te nourrissent autant que t'en veux. Et puis là, y a les champs qui se perdent plus loin que tu peux voir et aussi, des fois, une rivière pour les vaches où tu peux te baigner à ton goût. Ti-Cul s'est fait conter que pour aller là, il faut aller loin de la ville, près des Américains et que si on reste ici, on pourra peut-être jamais aller là-bas de notre vie. "Qu'est-ce qu'on attend?" Gisèle fixait Régis qui s'avança, peu convaincu: "On y va?"

Aussitôt Ti-Cul le poussa dans l'ouverture: "Toi, tu y vas."

Endeuillée, soeur Gertrude parcourut le terrain de l'institution. Tout ce qu'elle voyait lui paraissait tragique et monstrueux. Elle constata la mise sur pied d'une considérable équipe de surveillance. Deux hommes, plaqués contre le mur, de part et d'autre de la porte de bois qui menait aux souterrains, étaient prêts à bondir sur le premier qui en sortirait. Il y avait deux gardes postés à tous les points stratégiques. Près du portail, la soeur Supérieure surveillait les opérations avec sa longue-vue, accompagnée du fidèle sergent Dubois et de soeur Joseph-Albert.

D'un tuyau d'environ trois pieds de diamètre surgit un bras, puis une tête. Avec peine, Régis se fraya un chemin parmi les racines et les broussailles qui couvraient l'ouverture. Il avait beau tirer dans tous les sens, les branches s'entremêlaient autour de lui et semblaient l'empêcher de sortir exprès pour l'avertir du danger. De toute manière, en bas ce n'était plus possible à cause de la tournure des événements ces derniers jours.

"Maintenant qu'ils ont découvert l'installation et peut-être Sébastien, ils vont nous obliger à demeurer en haut tout le temps et puis les gardiens vont sûrement être prévenus de guetter serré pour qu'on ne sorte plus, même dans les jardins entourant l'hôpital. Il va juste rester les trois petites cours intérieures où t'as accès à rien. Et puis peut-être même qu'on pourra plus travailler juste rester à se bercer, comme c'était arrivé à Sébastien. Lui disait que c'était parce qu'il était né faible, prématuré qu'il avait dit."

Avant de partir, Régis avait décidé de tricher une dernière fois, malgré ce que lui-même avait imposé aux autres. Il était allé voir Sébastien pour le consulter sur le départ du couvent. Et puis aussi pour lui confier à quel point c'est difficile de s'en aller de sa maison, de toutes les choses qu'on connaît, mais que lui, Sébastien, se mêlerait petit à petit au monde du labyrinthe, qu'il deviendrait comme eux et que bientôt, ici, tout allait redevenir comme avant; les gens d'en haut allaient y rester et ceux d'en bas, retrouver leur vie tranquille, comme ils l'avaient toujours voulu. La seule présence de Sébastien l'envahit d'un courant chaud qui lui traversa tout le corps. Rassuré, il pensa demeurer dans les souterrains aussi longtemps qu'il serait possible de s'y cacher, mais en laissant à Sébastien la promesse de ne plus jamais venir le déranger. En sortant du reposoir, Régis fut transi, d'un coup, par un courant humide et glacial.

Régis réussit enfin à se libérer du canal. Aveuglé par la lumière du jour, il marmonna d'inquiétude:

"Où est-ce qu'on est, saint ciboire?!"

Du caniveau parvint la voix transmuée de Gisèle: "Qu'est-ce que tu vois?"

Régis se dressa sur la pointe des pieds: "J'vois rien! De l'herbe, des branches et puis des arbres... C'est tout.

— Où est-ce qu'y est le couvent?

— Je le vois même pas.

La voix angoissée de Ti-Cul se fit entendre sourdement: "Je veux sortir."

Soeur Gertrude pressait le pas. Un peu partout, elle voyait des gens impotents ou surexcités qui regardaient bêtement ou encore qui s'esclaffaient au moindre incident. Parmi ces spectateurs, il y avait des pensionnaires, du personnel et aussi des religieuses. Sur le toit, une sentinelle scrutait le territoire avec une longue-vue en hurlant dans un porte-voix: "Rendez-vous. Toutes les issues sont bloquées. Vous n'avez aucune chance."

Le souffle court, Régis rampa jusqu'au-dessus d'un bosquet rocailleux. Il se redressa un moment et entrevit enfin le couvent et ses environs; il se réorienta prestement puis pivota vers Gisèle et Ti-Cul, attentifs et immobiles à l'embouchure du tuyau, pour leur expliquer à grands gestes et en articulant à voix-basse: "Le couvent est là... Le petit bois est par là. Faites ça vite!"

S'ensuit un long regard entre Régis et ses deux amis. Peut-être les voyait-il pour la dernière fois: "Bonne chance!"

Il se détourna promptement et disparut dans les broussailles. Les deux autres aussi, mais dans une autre direction.

Le coeur étreint, soeur Gertrude enfila un corridor au pas de course. Sur son passage, elle entrevit des patients sans surveillance qui, emportés dans l'atmosphère trouble, s'agitaient d'épuisement. Elle ralentit devant un groupe d'enfants. Effarouchés, ils se blotissaient dans un coin et camouflaient l'un deux pour assourdir ses pleurs. Atterrée, soeur Gertrude se dirigea vers sa cellule d'un pas énergique.

Sur le terrain, le groupe des sentinelles fut soudain alerté par un cri inattendu, celui de Régis perché au sommet de la très haute clôture de sécurité: "Aïe!" Les sentinelles virevoltaient en tous sens. "Aïe...!"

Un gardien , sur le toit, pointa à bout de bras en hurlant: "La clôture... La clôture..."

La surprise fit son effet. Les gardes se précipitèrent à toute volée vers la palissade. Sûr de lui, Régis les narguait: "Plus besoin de chercher... Tout le monde est parti."

De son point d'observation, il regarda au loin, intensément. Il vit Ti-Cul et Gisèle qui détalaient en toute sécurité pour ensuite s'effacer dans le petit bois. Constatant que personne ne les avait repérés, Régis descendit rapidement de l'autre côté de la clôture et s'éclipsa dans le décor.

Seule dans sa cellule, soeur Gertrude prit une décision capitale et l'exécuta sur-le-champ. Tranquillement, mais avec assurance, elle retira sa cornette; ses cheveux encadraient maintenant son visage et dévoilaient une femme nouvelle. Elle se défit ensuite de son froc de bure noire, laissant se répandre l'ample jupon de coton blanc. Pour elle, il n'était plus question de reculer.

Des gardes masqués parcouraient les tunnels à grands pas, munis de fumigateurs crachant une fumée épaisse mais non toxique. Après chaque giclée, ils s'arrêtaient quelques instants, le temps que se dissipent les vapeurs et que surgissent des silhouettes d'enfants. Leur emboîtaient le pas un éclaireur épaulé d'un faisceau puissant et un autre, renforcé d'un porte-voix: "Nous allons évacuer tous les tunnels. Vous n'avez aucune chance. Montrez-vous... Nous allons évacuer tous les tunnels."

Transparaissant dans le nuage blanc, Françoise et Ti-Loup s'avancèrent toussant, apeurés, la mort dans l'âme.

À proximité du canal de béton, Denis se contorsionna dans les broussailles, jetant des coups d'oeil furtifs au-dessus de son épaule. Soudain inquiet, il fit volte-face et, à sa grande surprise, entrevit Agnès, immobile, accroupie loin derrière. Affolé, il se précipita vers elle, freiné presque aussitôt par un commandement implacable: "Reste là, bouge pas, touche-moi pas...!

— Amène-toi, bon yeu!

— J'ai peur.

— Quoi?!"

Après un long silence, Agnès l'interpella d'une voix éteinte: "Où est-ce qu'on va, Denis? Où est-ce qu'on s'en va?"

Essayant d'apaiser son désarroi: "Tu peux pas rester là... On l'avait décidé."

Braquant son regard sur les grands espaces dans lesquels elle allait se perdre, Agnès éprouvait une peur panique... Il est supposé avoir quoi là-bas, qu'y a pas ici? Du monde, c'est du monde partout. La seule différence, c'est qu'à l'extérieur, on les connaît pas et qu'on sait pas comment ils vivent. Ici, c'est peut-être pas toujours facile, mais pourquoi ce le serait plus ailleurs. Malgré ce qu'il nous a dit, Barbouilleux le sait, lui, puisque les fois qu'ils lui ont donné son congé, il a toujours fini par revenir. Même soeur Gertrude qui a une famille à l'extérieur a choisi de travailler ici. Elle a même dit que, pour elle, le couvent c'est sa maison et celle de Dieu et aussi qu'elle lui a fait serment d'y rester à jamais... Partir ce serait comme laisser ceux qu'on aime sans raison, juste pour la curiosité d'aller à des endroits inconnus. Juste à voir comment les patients qui se sauvent reviennent d'eux-mêmes quelques heures plus tard. Ici, les personnes dangereuses, on les connaît et on peut s'en préserver. Il y a des patientes qui sortent en permission le soir et puis il en a qui sont revenues avec des marques et des blessures et on a jamais su pourquoi.

Les yeux éperdus, Agnès recula en gémissant. Horrifié, Denis la vit s'enfuir dans le caniveau puis, accablé de rage et de douleur, il frappa le sol au plus fort de son être en pleurant. Du haut du toit, le porte-voix retentit: "Il en reste deux. Surveillez la clôture du nord."

Dans un sursaut, Denis reprit le sentier et s'enfuit de tous ses membres. Le porte-voix rugit de nouveau: "Là-bas... Le petit bois."

Tous les regards convergèrent vers Denis qui s'évadait.

En tant que Marie-Reine Boyer, soeur Gertrude franchit la porte principale, déconcertée par sa liberté nouvelle. Le spectacle du désarroi collectif augmenta en elle l'impression de bizarre et d'irréel.

Le personnel assigné au grand portail était agglutiné en petit groupe et les commentaires allaient bon train. Soeur Gertrude demanda au portier d'ouvrir. Il ne la reconnut pas. Comme elle ne suscitait en lui aucune méfiance, il s'exécuta sur-le-champ. Sans se retourner, soeur Gertrude quitta le couvent.

40

Mario

Agnès courut à toutes jambes dans le quartier des religieuses. Épuisée, elle s'arrêta devant la cellule de soeur Gertrude. Remarquant la porte entrouverte, elle la poussa discrètement pour y découvrir un désordre inhabituel; des tiroirs ouverts et vides, des vêtements religieux froissés et éparpillés négligemment. Au pied du lit, elle aperçut avec effroi la cornette de soeur Gertrude. Ces signes trahissaient le départ précipité de son amie. Effarée, elle quitta la chambre à toute allure.

Dans une salle de séjour, elle s'était égarée dans la foule de religieuses, de patients et d'enfants affolés par les événements. Le petit Mario qu'elle avait accueilli à son arrivée au couvent l'aperçut et, devinant son chagrin, alla glisser sa main dans la sienne. Surprise, Agnès se retourna, et en le reconnaissant, s'effondra en larmes. Debout près d'elle, Mario la regardait, silencieux et réconfortant. Elle leva les yeux vers lui et, à la vue de son triste sourire, l'attira vers elle, appuya sa tête contre sa poitrine en sanglotant et le prit dans ses bras. Intrigués, des patients s'étaient approchés et, peu à peu, leurs regards enveloppants s'étaient resserrés sur eux.

Mai 1972

Un immense salle aux murs pastel, aux fenêtres invitantes de clarté, meublée de tables et de chaises aux couleurs vives, abrite une centaine de pensionnaires. Reconnaissable exclusivement à son trousseau de clés accroché à la ceinture, une préposée s'affaire à une tablée de patients qui peignent des fleurs de papier. Au fil du temps les lieux se sont allégés, les signes de réclusion estompés, les chaises berçantes raréfiées, mais les regards reflétant l'indigence, les physionomies déformées par la folie et les déplacements sans destination demeurent, inhérents aux patients qui habitent l'institution.

Agnès et Mario sont en grande conversation. Après tant d'années, la folie des autres a déteint sur leurs agissements; commes les autres, ils s'expriment en mâchonnant leurs paroles. Quand ils en trouvent de disponibles, ils aiment bien se blottir dans une chaise berçante pendant de longues heures, "comme dans le temps". C'est ce qu'ils font en ce moment, doucement, face à face.

"Agnès, si je te prends comme fiancée, ça compte beaucoup le ton que tu prends avec moi."

Elle freine subitement sa berçante pour lui parler en toute gentillesse: "Écoute Mario. Je peux *pas* être fine avec toi en ce moment..." soudain furieuse... "parce que je suis *fâchée* avec toi."

Elle reprend à vive allure, sous l'oeil rieur de Mario: "Regarde-toi donc comme tu te berces, enragée... Si tu continues, c'est la chaise qui va se balancer sur toi..."

Il s'esclaffe bruyamment. De son côté, Agnès feint l'indifférence en regardant explicitement dans toutes les directions, sauf vers lui. Du coup, il s'assombrit et devient suppliant: "S'il vous plaît, Agnès...

— Ah... J'suis occupée, là!"

S'ensuit un long silence. Mario la contemple amoureusement. Charmée, elle se soumet: "Si tu veux, mon beau Mario." Puis décisive:"Mais c'est *toi* qui dis les chiffres."

Fou de joie, il se cambre d'un bond, couvre ses yeux de ses mains, s'agenouille sur la berceuse, appuie son front sur le dossier puis, tout en se balançant, se met à compter d'une voix forte: "Un, deux, trois, quatre, cinq, six..."

Agnès se redresse tranquillement et, à pas de loup, vient se pencher sur Mario. Pour prévenir les tricheries, elle lui resserre minutieusement les doigts, puis s'éloigne à la recherche d'une cachette. Soudain elle se ravise et revient vers Mario pour lui sauter au cou et l'embrasser. Dans des éclats de rires sans fin, ils s'enlacent amoureusement.

Des pensionnaires s'attardent pour les regarder, le temps qu'un ange passe.

FIN

Lithographié au Canada
sur les presses de
Métropole Litho Inc.